DAY 01

🍀 최빈출 단어

0001	**maintain**	통 유지하다
0002	**yield**	통 (결과·수익 등을) 내다, 산출하다 통 양도하다; 명 수확량, 총수익
0003	**vast**	형 방대한, 어마어마한
0004	**aggressive**	형 공격적인, 난폭한
0005	**exposure**	명 노출; 폭로, 탄로
0006	**indifferent**	형 무관심한, 냉담한 형 공평한, 중립의
0007	**temporary**	형 일시적인
0008	**suitable**	형 적합한
0009	**breed**	명 혈통, 종, 유형 통 사육하다; 번식하다

🍀 빈출 단어

0010	**particle**	명 입자, 작은 조각; 소량, 미진
0011	**unfamiliar**	형 익숙하지 않은, 낯선
0012	**contemplate**	통 생각하다, 고려하다 통 응시하다, 찬찬히 보다
0013	**barely**	부 거의 ~할 수 없이, 간신히
0014	**certify**	통 증명하다, 보증하다
0015	**suburban**	형 교외의

0016	**dweller**	명 거주자, 주민, ~에 사는 동물
0017	**penetrate**	동 (뚫고) 들어가다, 관통하다
0018	**masterpiece**	명 걸작, 명작
0019	**friction**	명 마찰; (의견) 충돌, 불화
0020	**rebellious**	형 반항적인; 반체제적인
0021	**laudable**	형 칭찬할 만한
0022	**irregular**	형 불규칙적인
0023	**excel**	동 (남을) 능가하다
0024	**municipal**	형 지방 자치의, 시의
0025	**meddle**	동 간섭하다, 참견하다 동 건드리다, 손을 대다
0026	**grief**	명 깊은 슬픔, 비탄
0027	**insolent**	형 무례한, 버릇없는
0028	**commendation**	명 칭찬, 인정

🍀 빈출 숙어

0029	**according to**	~에 따르면
0030	**take care of**	~을 돌보다, 신경 쓰다
0031	**call for**	요구하다, ~을 필요로 하다
0032	**pick up**	~를 (차에) 태우다 (방송·신호 등을) 포착하다 ~을 집다, 들어 올리다
0033	**build up**	확립하다, 개발하다
0034	**take ~ into account**	~을 고려하다

🍀 완성 어휘

0035	**homage**	몡 경의
0036	**defy**	통 반항하다, 거역하다
0037	**issuance**	몡 발급, 배급
0038	**perspicuous**	혱 알기 쉬운, 명쾌한
0039	**detached**	혱 고립된, 무심한
0040	**roster**	몡 명단, 등록부
0041	**exquisite**	혱 매우 아름다운, 정교한
0042	**strenuous**	혱 몹시 힘든, 격렬한
0043	**entrench**	통 확고하게 하다
0044	**parochial**	혱 편협한, 좁은
0045	**promulgate**	통 널리 알리다
0046	**trepidation**	몡 두려움
0047	**belittle**	통 얕보다, 과소평가하다
0048	**crown**	몡 왕위, 왕권
0049	**punitive**	혱 징벌적인, 처벌의, 가혹한
0050	**hitch**	통 얻어 타다, 편승하다
0051	**solidarity**	몡 연대, 결속
0052	**counteract**	통 대응하다
0053	**throng**	몡 인파, 군중
0054	**quarantine**	몡 격리
0055	**arithmetic**	몡 산수, 연산
0056	**astound**	통 크게 놀라게 하다

0057	**inattentive**	형 부주의한, 조심성이 없는
0058	**rupture**	명 파열; 동 파열되다
0059	**repellent**	형 역겨운, 혐오감을 주는
0060	**flux**	명 끊임없는 변화, 유동
0061	**savvy**	형 요령 있는
0062	**tenuous**	형 미약한, 보잘것없는
0063	**tacit**	형 암묵적인, 무언의
0064	**cluster**	명 무리
0065	**negligence**	명 부주의, 태만
0066	**remorse**	명 회한
0067	**malleable**	형 영향을 잘 받는
0068	**pale**	형 창백한, 옅은
0069	**mantle**	명 (표면을 덮고 있는) 꺼풀
0070	**superficially**	부 표면적으로
0071	**unprepossessing**	형 매력 없는
0072	**bring about**	일으키다, 야기하다
0073	**take apart**	~을 분해하다
0074	**it follows that**	결과적으로 ~이다
0075	**get ahead**	출세하다
0076	**be off to**	~로 떠나다
0077	**tell from**	~을 구분하다, ~으로 알다
0078	**put on hold**	~을 보류하다
0079	**spread out**	퍼지다
0080	**go back on one's**	약속을 어기다

DAY 02

🍀 최빈출 단어

0081	**face**	통 직면하다, 마주하다
0082	**strategy**	명 전략, 계획
0083	**shift**	명 전환, 변화, 이동 통 옮기다, 자세를 바꾸다
0084	**conceal**	통 숨기다, 감추다
0085	**conversely**	부 반대로, 역으로
0086	**commitment**	명 헌신, 전념; 약속
0087	**exert**	통 (영향력을) 행사하다 통 노력하다, 분투하다
0088	**superior**	형 우월한; 명 상급자, 선배
0089	**respective**	형 각각의, 각자의
0090	**profound**	형 심오한, 깊은, 엄청난

🍀 빈출 단어

0091	**ecological**	형 생태계의, 환경의
0092	**surge**	명 급증, 급등, 상승 명 큰 파도, 파동, (감정의) 동요 통 쇄도하다, (감정이) 치밀어 오르다
0093	**scarce**	형 희귀한, 드문, 부족한
0094	**circulation**	명 (혈액 등의) 순환; 유통
0095	**immoral**	형 부도덕한, 품행이 나쁜

0096	**entrepreneur**	몡 기업가
0097	**deplete**	동 대폭 감소시키다, 고갈시키다
0098	**negotiate**	동 협상하다
0099	**repeal**	동 폐지하다, 철회하다
0100	**redundant**	혱 불필요한, 여분의
0101	**invincible**	혱 무적의, 이길 수 없는
0102	**subconscious**	혱 잠재적인, 잠재의식의 명 잠재의식
0103	**indigenous**	혱 토착의, 타고난, 고유의
0104	**extrovert**	혱 외향적인 명 외향적인 사람, 외향성
0105	**marvelous**	혱 놀라운, 믿기 어려운
0106	**torture**	명 고문, 괴로움; 동 고문하다
0107	**fabricate**	동 조작하다, 위조하다 동 제작하다, 조립하다
0108	**sway**	동 흔들리다, 동요하다

🍀 빈출 숙어

0109	**in addition**	~뿐만 아니라, 또한
0110	**be ready to**	~할 준비가 되다
0111	**manage to**	간신히 ~하다
0112	**be sure to**	반드시 ~하다, 꼭 ~하다
0113	**incapable of**	~할 수 없는
0114	**place an order**	주문하다

✿ 완성 어휘

0115	**irrigation**	명	관개
0116	**jet-lag**	명	시차
0117	**bent**	형 구부러진; 명 소질	
0118	**inertia**	명	관성, 타성
0119	**trickle**	명	조금씩 이어지는 양
0120	**stun**	동	기절시키다, 놀라게 하다
0121	**proximation**	명	근사, 유사, 접근
0122	**permeate**	동	스며들다, 퍼지다
0123	**paucity**	명	소량, 부족, 결핍
0124	**diminution**	명	축소, 감소
0125	**bellicose**	형	호전적인
0126	**atom**	명	원자
0127	**outflow**	명	유출
0128	**hypnotic**	형	최면을 거는 듯한
0129	**traction**	명	견인, 호응
0130	**crease**	명	주름, 구김살
0131	**sheepishly**	부	소심하게, 순하게
0132	**behest**	명	명령, 지령
0133	**bizarre**	형	기이한, 특이한
0134	**adaptable**	형	적응할 수 있는
0135	**posit**	동	사실로 상정하다
0136	**monstrous**	형	엄청난, 터무니없는

0137	**smash**	통 박살 내다, 박살 나다
0138	**ruthless**	형 무자비한, 가차 없는
0139	**reproach**	통 비난하다; 명 비난
0140	**inconsistent**	형 일치하지 않는, 모순된
0141	**sever**	통 자르다, 절단하다
0142	**unravel**	통 흐트러지기 시작하다
0143	**plagiarism**	명 표절
0144	**brevity**	명 간결성
0145	**resolute**	형 단호한, 확고한
0146	**potent**	형 강한, 강력한
0147	**partisan**	명 신봉자; 형 편파적인
0148	**epigraph**	명 (기념비 따위의) 제명, 비문
0149	**platitude**	명 진부한 말, 평범한 의견
0150	**prose**	명 산문
0151	**beef up**	강화하다
0152	**hit the ball**	수월하게 진행하다
0153	**come off**	성공하다, 떨어지다
0154	**supportive of**	~을 지원하는
0155	**in season**	제철의
0156	**in that**	~이므로
0157	**commit suicide**	자살하다
0158	**keep pace with**	~와 보조를 맞추다
0159	**by far**	훨씬
0160	**take turns**	교대로 하다

DAY 03

🍀 최빈출 단어

0161	**treatment**	몡 치료, 처치; 대우, 다룸
0162	**estimate**	몡 추정치, 추정 동 추정하다, 어림잡다; 평가하다
0163	**abuse**	동 남용하다; 학대하다 몡 남용, 학대
0164	**attribute**	동 ~의 책임으로 돌리다 몡 특성, 속성, 자질
0165	**context**	몡 문맥, 맥락; 배경, 전후 사정
0166	**symptom**	몡 증상; (특히 불길한) 징후, 조짐
0167	**exhaust**	동 기진맥진하게 하다
0168	**beneficial**	혱 이익이 되는, 유익한
0169	**undertake**	동 (일·책임을) 떠맡다; 착수하다
0170	**decay**	동 썩다, 부패하다; 몡 부식, 부패

🍀 빈출 단어

0171	**entitle**	동 자격을 주다
0172	**convey**	동 (정보 등을) 전달하다 동 실어 나르다, 운반하다
0173	**sensory**	혱 감각의
0174	**density**	몡 밀도
0175	**suspicious**	혱 의심스러운, 수상쩍은

0176	**riot**	명 폭동; 동 폭동을 일으키다
0177	**explicit**	형 명쾌한, 분명한 형 솔직한, 노골적인
0178	**endorse**	동 (공개적으로) 지지하다 동 (상품을) 보증하다
0179	**increment**	명 증가량, 증대
0180	**offense**	명 위반, 범행
0181	**tame**	동 다스리다, 길들이다 형 길들여진
0182	**metabolic**	형 신진대사의
0183	**persevere**	동 인내하다
0184	**mediate**	동 중재하다
0185	**spur**	동 박차를 가하다, 자극하다 명 자극, 원동력
0186	**refurbish**	동 재단장하다, 정비하다
0187	**irritable**	형 짜증을 내는, 민감한
0188	**ingest**	동 섭취하다, 삼키다, 먹다 동 (정보를) 수집하다
0189	**rotate**	동 회전하다; 교대로 하다

🍀 빈출 숙어

0190	**be likely to**	~할 가능성이 있다
0191	**catch up**	따라잡다
0192	**get[be] in touch**	연락하다, ~와 닿다
0193	**compensate for**	보충하다, ~에 대해 보상하다
0194	**be acquainted with**	친분이 있다

🍀 완성 어휘

0195	**dichotomy**	명	이분법
0196	**textile**	명	섬유, 옷감
0197	**serviceable**	형	쓸모 있는, 잘 돕는
0198	**chancellor**	명	수상, 총장
0199	**onwards**	부	계속
0200	**circumscribe**	동	제한하다
0201	**spurn**	동	퇴짜 놓다, 일축하다
0202	**equilibrium**	명	평형
0203	**belligerent**	형	적대적인
0204	**perjury**	명	위증
0205	**facetious**	형	경박한, 까부는
0206	**jettison**	동	버리다, 폐기하다
0207	**traitor**	명	배신자, 반역자
0208	**creed**	명	신념, 신조
0209	**indignantly**	부	분개하여
0210	**rampant**	형	걷잡을 수 없는
0211	**brink**	명	(벼랑 등의) 끝, 직전
0212	**blunt**	형	무딘, 뭉툭한
0213	**peasant**	명	소작농
0214	**courtesy**	명	공손함
0215	**temperance**	명	절제, 자제
0216	**smuggle**	동	밀수하다, 밀반입하다

0217	**scribe**	몡 서기관
0218	**second-hand**	혱 중고의
0219	**indiscriminate**	혱 무분별한
0220	**sober**	혱 제정신의, 냉철한
0221	**manslaughter**	몡 살인
0222	**intoxicate**	동 취하게 하다
0223	**exigent**	혱 위급한, 급박한
0224	**incapacitate**	동 무능하게 만들다
0225	**tedious**	혱 지루한, 싫증 나는
0226	**preeminent**	혱 탁월한, 발군의
0227	**pastoral**	혱 목축의
0228	**thaw**	동 녹다
0229	**martial**	혱 싸움의, 전쟁의, 용맹한
0230	**slack off**	쇠퇴하다, 게으름을 부리다
0231	**break a habit**	버릇을 고치다
0232	**crack down on**	단호한 조치를 취하다
0233	**cut it close**	절약하다
0234	**do no harm**	해가 되지 않다
0235	**under condition**	~한 조건하에
0236	**pick on**	~를 비난하다, 혹평하다
0237	**in accordance with**	~에 따라서
0238	**in line with**	~에 따라, ~과 비슷한
0239	**burst into**	(갑자기) ~하기 시작하다
0240	**in the long run**	장기적으로

DAY 04

🍀 최빈출 단어

0241	**material**	명 물질, 재료 형 물질적인, 물리적인; 명 자료
0242	**fix**	동 고정시키다 동 (날짜, 시간, 양 등을) 정하다
0243	**ban**	동 금지하다; 명 규제, 금지 명령
0244	**vulnerable**	형 취약한, 공격받기 쉬운; 연약한
0245	**executive**	명 임원, 경영진, 책임자 형 행정상의
0246	**verbal**	형 언어의, 구두의
0247	**isolate**	동 고립시키다, 격리하다
0248	**cite**	동 (예를 들어) 언급하다, 인용하다
0249	**district**	명 구역, 지구
0250	**fossil**	명 화석; 형 화석의
0251	**formula**	명 (수학·화학 등의) 공식 명 (어떤 일을 이루기 위한) 방식

🍀 빈출 단어

0252	**equality**	명 평등, 균등
0253	**offspring**	명 자손, 자식
0254	**eradicate**	동 근절하다, 박멸하다
0255	**apprehend**	동 이해하다, 깨닫다 동 검거하다, 체포하다

0256	**speculate**	동 추측하다; 투기하다
0257	**differentiate**	동 구별하다; 차별하다
0258	**crude**	형 허술한, 대충의; 명 원유
0259	**fade**	동 (색깔이) 바래다, 희미해지다 동 사라지다
0260	**supervision**	명 관리, 감독
0261	**reticent**	형 과묵한, 말수가 적은
0262	**utter**	동 (입 밖에) 내다, 말하다 형 완전한
0263	**terrain**	명 지역, 지형
0264	**abhor**	동 혐오하다
0265	**amateur**	명 비전문가, 아마추어
0266	**insulate**	동 절연하다, 단열 처리를 하다 동 보호하다
0267	**terminate**	동 끝내다, 종료하다
0268	**pernicious**	형 해로운, 유독한
0269	**decompose**	동 부패하다, 분해되다
0270	**latent**	형 잠재된, (질병이) 잠복해 있는 형 휴면의

🍀 빈출 숙어

0271	**be responsible for**	~에 책임이 있다
0272	**be forced to**	~할 수밖에 없다, 마지못해 ~하다
0273	**a handful of**	소수의
0274	**blot out**	~을 완전히 덮다, 가리다 (추억·생각 등을) 잊다, 지우다

🌸 완성 어휘

0275	**waive**	통 (권리 등을) 포기하다
0276	**clarity**	명 명료성
0277	**eternal**	형 영원한
0278	**sullen**	형 침울한, 시무룩한
0279	**contaminate**	통 오염시키다
0280	**disillusion**	통 환멸을 느끼게 하다
0281	**meticulously**	부 조심스럽게, 세심하게
0282	**kinetic**	형 운동의
0283	**purify**	통 정화하다
0284	**unfalteringly**	부 망설임 없이
0285	**bondage**	명 구속, 결박
0286	**brittle**	형 불안정한, 잘 부러지는
0287	**wastage**	명 낭비
0288	**cozen**	통 속이다, 기만하다
0289	**discursion**	명 (산만한) 논의, 논증, 분석
0290	**unseat**	통 자리에서 몰아내다
0291	**vibe**	명 분위기, 느낌
0292	**proximity**	명 근접, 가까움
0293	**penniless**	형 몹시 가난한
0294	**defiant**	형 반항하는
0295	**allegation**	명 혐의, 주장
0296	**ordeal**	명 시련

0297	**alchemy**	명 연금술
0298	**close-knit**	형 긴밀히 맺어진
0299	**inimical**	형 해로운
0300	**convolve**	동 휘감다, 감기다
0301	**veracity**	명 진실성
0302	**posthumous**	형 사후의
0303	**sympathetic**	형 동정 어린
0304	**liberate**	동 해방시키다
0305	**regime**	명 정권
0306	**tarnish**	동 흐려지다, 변색시키다
0307	**elope**	동 달아나다, 도망가다
0308	**eminent**	형 저명한, 뛰어난
0309	**tipping point**	정점
0310	**brush aside**	무시하다
0311	**lay claim to**	~에 대한 권리를 주장하다
0312	**eat into**	~을 부식하다
0313	**drift apart**	사이가 멀어지다
0314	**to the detriment of**	~을 해치며
0315	**pay dividends**	큰 이익을 주다
0316	**make good**	성공하다
0317	**in return**	답례로
0318	**on the rise**	상승 중인, 오름세인
0319	**caught up in**	~에 휩쓸린
0320	**get round**	(잘해 주어서) ~를 설득하다

DAY 05

최빈출 단어

0321	**consequently**	뷔 결과적으로, 따라서
0322	**closely**	뷔 밀접하게; 엄중히, 면밀하게
0323	**identify**	동 확인하다, 식별하다
0324	**pursue**	동 추구하다, 얻으려고 애쓰다 동 (어떤 일을) 계속해 나가다 동 (붙잡기 위해) 뒤쫓다, 추적하다
0325	**colleague**	명 (특히 직장) 동료
0326	**trait**	명 특성, 특징
0327	**tremendous**	형 엄청난, 거대한
0328	**controversy**	명 논란
0329	**reinforce**	동 강화하다, 보강하다
0330	**extinction**	명 멸종, 소멸 명 소화[불을 끄기], 소등

빈출 단어

0331	**dignity**	명 존엄성, 품위
0332	**resume**	동 재개하다, 다시 시작하다 명 이력서
0333	**inspiration**	명 영감, 자극
0334	**premature**	형 조기의, 시기상조의
0335	**depict**	동 묘사하다, 그리다

0336	**clarify**	통 명확하게 하다, 규명하다
0337	**juvenile**	형 청소년의, 나이 어린
0338	**intriguing**	형 아주 흥미로운
0339	**outbreak**	명 (전쟁·질병 등의) 발생, 발발 명 (해충 따위의) 급격한 증가
0340	**meteor**	명 유성, 별똥별
0341	**extract**	통 추출하다, (문구를) 발췌하다 명 추출물
0342	**coincide**	통 동시에 일어나다 통 일치하다, 아주 비슷하다
0343	**landlord**	명 집주인, 건물 소유주
0344	**revoke**	통 취소하다, 철회하다
0345	**bleak**	형 암울한, 절망적인
0346	**mimic**	통 흉내 내다, 모방하다
0347	**redeem**	통 상환하다, 되찾다, 회수하다 통 만회하다
0348	**feasible**	형 실현 가능한, 그럴싸한

🍀 빈출 숙어

0349	**by the time**	~할 즈음에
0350	**lay off**	해고하다
0351	**bring up**	(화제를) 꺼내다; 기르다, 양육하다
0352	**be accompanied by**	~을 수반하다, 동반하다
0353	**correspond to**	~과 일치하다, 대응하다
0354	**in conjunction with**	~와 함께

✿완성 어휘

0355	**supremacy**	명 패권, 우위
0356	**cosmos**	명 우주
0357	**dislocate**	동 탈구시키다, 위치를 바꾸다
0358	**malefactor**	명 범죄자, 악인
0359	**budding**	형 신예의, 싹트기 시작하는
0360	**fervent**	형 열렬한, 강렬한
0361	**perspiration**	명 땀
0362	**sorrow**	명 슬픔, 비애
0363	**rag**	명 누더기, 넝마
0364	**vista**	명 풍경
0365	**apathy**	명 무관심, 냉담
0366	**languishing**	형 차츰 쇠약해지는
0367	**tumult**	명 소란, 소동
0368	**deceptive**	형 속이는, 기만하는
0369	**reminiscent**	형 ~을 연상시키는
0370	**capitalize**	동 자본화하다
0371	**climatological**	형 기후학적인
0372	**practitioner**	명 (전문직) 현직자
0373	**deform**	동 변형시키다
0374	**mural**	명 벽화
0375	**sought-after**	형 수요가 많은
0376	**serene**	형 조용한, 고요한

0377	**suffocate**	图 숨이 막히게 하다
0378	**injunction**	图 명령, 지시
0379	**stylistic**	图 양식의, 문체의
0380	**abridge**	图 단축하다, 생략하다
0381	**demise**	图 종말, 죽음
0382	**agile**	图 민첩한, 기민한
0383	**liquidate**	图 청산하다, 정리하다
0384	**tiresome**	图 지루한, 성가신
0385	**transcendental**	图 초월적인
0386	**prophecy**	图 예언
0387	**empowerment**	图 권한 부여
0388	**plead**	图 애원하다, 간청하다
0389	**staggering**	图 충격적인, 믿기 어려운
0390	**bombast**	图 과장, 호언장담
0391	**bypass**	图 우회 도로
0392	**tribute**	图 경의, 찬사, 공물
0393	**hammer out**	(문제를) 타결하다
0394	**start over**	다시 시작하다
0395	**weasel out of**	~에서 손을 떼다
0396	**with interest**	이자를 붙여서
0397	**trace out**	(윤곽을) 그리다
0398	**in the event of**	만약 ~인 경우에
0399	**from now on**	이제부터, 향후
0400	**do well to**	~하는 것이 낫다

DAY 06

🍀 최빈출 단어

0401	**subject**	몡 주제, 과목 혱 ~의 영향을 받는, 종속하는
0402	**contract**	몡 계약; 동 (병에) 걸리다
0403	**federal**	혱 연방의, 연방 정부의
0404	**molecule**	몡 분자
0405	**adolescent**	몡 청소년 혱 청소년기의, 사춘기의
0406	**minority**	몡 소수, 소수 집단; 미성년
0407	**invisible**	혱 보이지 않는
0408	**prejudice**	몡 편견, 선입견
0409	**virtually**	븻 사실상, 거의; 가상으로
0410	**license**	몡 허가증, 허가; 동 허가하다

🍀 빈출 단어

0411	**definitely**	븻 분명히, 틀림없이
0412	**altitude**	몡 고도
0413	**foster**	동 위탁 양육하다, 육성하다 동 조성하다, 발전시키다
0414	**intake**	몡 섭취량, 섭취
0415	**succumb**	동 굴복하다
0416	**bolster**	동 뒷받침하다, 지지하다

0417	**publicize**	통 선전하다, 알리다
0418	**stigma**	명 낙인, 오명
0419	**discredit**	명 불명예 통 (신용·평판을) 떨어뜨리다
0420	**mislead**	통 오해하게 하다, 잘못 인도하다
0421	**enigma**	명 수수께끼
0422	**wicked**	형 못된, 사악한
0423	**descent**	명 혈통, 가문, 하강, 내려감
0424	**partial**	형 부분적인; 편향된
0425	**latter**	형 후자의
0426	**incidental**	형 부수적인, 중요하지 않은
0427	**scrupulous**	형 꼼꼼한, 세심한; 양심적인
0428	**momentary**	형 잠깐의, 순간적인

🍀 빈출 숙어

0429	**be associated with**	~과 관련되다, 연관되다
0430	**apart from**	~을 제외하고
0431	**have nothing to do with**	~과 관계가 없다
0432	**cut down**	~을 줄이다, 삭감하다
0433	**at any rate**	어쨌든
0434	**make a living**	생계를 꾸리다

🏵 완성 어휘

0435	**transmission**	명 전염
0436	**surgical**	형 수술의, 외과의
0437	**monarchy**	명 왕정, 군주제
0438	**clutter**	명 혼란
0439	**expenditure**	명 비용, 지출
0440	**unequivocal**	형 명백한, 분명한
0441	**broker**	동 중개하다; 명 중개인
0442	**labyrinth**	명 미로, 복잡하게 뒤얽힌 것
0443	**revamp**	동 개조하다
0444	**scholarly**	형 학문적인
0445	**oxidize**	동 녹슬게 하다
0446	**devoid**	형 ~이 전혀 없는
0447	**peculate**	동 횡령하다, 유용하다
0448	**laudation**	명 칭찬, 찬미
0449	**ungrudging**	형 아끼지 않는, 진심의
0450	**acidify**	동 산성화하다
0451	**flustered**	형 허둥대는, 갈팡질팡하는
0452	**unaccompanied**	형 ~이 동반되지 않는
0453	**decondition**	동 (건강을) 손상시키다
0454	**inexhaustible**	형 무궁무진한
0455	**repel**	동 격퇴하다
0456	**denigration**	명 모욕, 명예 훼손

0457	**precipitation**	명 강수, 강수량
0458	**deject**	동 낙담시키다, 기를 꺾다
0459	**myriad**	명 무수히 많음
0460	**microbial**	형 미생물의, 세균의
0461	**unaware**	형 ~을 알지 못하는
0462	**jubilant**	형 의기양양한
0463	**taper**	동 (폭이) 점점 가늘어지다
0464	**candor**	명 허심탄회, 솔직
0465	**relentless**	형 끈질긴
0466	**bustling**	형 북적거리는, 부산한
0467	**unabashed**	형 부끄러워하지 않는
0468	**synthesis**	명 종합, 합성
0469	**quotation**	명 인용, 견적
0470	**enthralling**	형 마음을 사로잡는
0471	**in the words of**	~의 말에 따르면
0472	**hand down**	물려주다
0473	**in a big way**	대규모로
0474	**enrich oneself**	부자가 되다
0475	**wrap oneself in**	~을 몸에 걸치다
0476	**put down**	~을 진압하다
0477	**interest rate**	금리, 이율
0478	**in danger of**	~의 위험에 처한
0479	**beyond control**	통제가 불가능하다
0480	**on one's own**	혼자서, 자력으로

DAY 07

❀ 최빈출 단어

0481	**frequently**	㽗 자주, 빈번히
0482	**corporation**	몡 회사, 기업; 법인, 조합
0483	**phenomenon**	몡 현상
0484	**notion**	몡 개념, 생각, 관념
0485	**rapid**	혱 빠른, 급속한
0486	**accelerate**	동 촉진하다, 가속하다
0487	**assemble**	동 모으다, 집합시키다; 조립하다
0488	**enforcement**	몡 (법 등의) 집행, 시행
0489	**surrounding**	혱 주변의, 인근의
0490	**dialect**	몡 방언, 사투리

❀ 빈출 단어

0491	**greed**	몡 탐욕, 식탐
0492	**devastate**	동 완전히 파괴하다 동 엄청난 충격을 주다
0493	**worship**	동 숭배하다, 예배드리다 몡 숭배, 예배
0494	**cheerful**	혱 쾌활한, 발랄한
0495	**monetary**	혱 통화의, 금전적인
0496	**compassion**	몡 연민, 동정심

0497	**instrumental**	형 기악의, 악기의 형 (어떤 일을 하는데) 중요한, 도움이 되는
0498	**nasty**	형 불쾌한, 더러운
0499	**surpass**	동 넘어서다, 능가하다
0500	**displace**	동 (살던 곳에서) 쫓아내다, 추방하다 동 대신하다, 대체하다
0501	**affirmative**	형 긍정적인, 적극적인
0502	**tentative**	형 잠정적인, 일시적인
0503	**diabetes**	명 당뇨병
0504	**treasure**	명 보물, 재보 동 소중히 하다, 귀중히 여기다
0505	**congruent**	형 일치하는; 적절한, 알맞은
0506	**traverse**	동 가로지르다; 명 횡단
0507	**lavish**	형 호화로운, 사치스러운
0508	**mundane**	형 일상적인, 재미없는

🍀 빈출 숙어

0509	**be aware of**	~에 대해 알다, ~을 의식하다
0510	**in search of**	~을 찾아서, 추구하여
0511	**have no idea**	전혀 모르다
0512	**carry on**	(하던 일 등을) 계속하다
0513	**head off**	~을 막다, 저지하다
0514	**in place of**	~ 대신에

🍀 완성 어휘

0515	**legion**	명	많은 사람들, 군단
0516	**poisonous**	형	독이 있는
0517	**descendant**	명	후손, 후예
0518	**fraud**	명	사기, 사기꾼
0519	**servile**	형	굽실거리는, 비굴한
0520	**sheer**	형	순전한, 완전한; 부 완전히
0521	**perverse**	형	삐딱한, 심술궂은
0522	**inverse**	형	반대의
0523	**recite**	동	낭송하다, 낭독하다
0524	**urchin**	명	부랑아
0525	**furnace**	명	용광로, 화로, 난방기
0526	**ingrained**	형	몸에 밴, 찌든
0527	**uncompromising**	형	타협하지 않는, 단호한
0528	**boldness**	명	대담함, 무모함
0529	**deregulate**	동	규제를 철폐하다
0530	**colossal**	형	거대한, 엄청난
0531	**presumably**	부	아마, 짐작건대
0532	**demolition**	명	철거, 파괴
0533	**particulate**	형	미립자의; 명 미립자
0534	**succession**	명	연속, 계승
0535	**backlash**	명	반발
0536	**commentator**	명	해설자

0537	**indiscernibly**	凰 식별할 수 없게
0538	**toxin**	명 독소
0539	**derision**	명 조롱, 조소
0540	**supplant**	동 대신하다, 대체하다
0541	**comparable**	형 비교할 만한, 비슷한
0542	**merchandise**	명 광고, 상품
0543	**resilient**	형 회복력 있는, 탄력 있는
0544	**embellish**	동 꾸미다, 장식하다
0545	**reactive**	형 반응을 보이는
0546	**euphoria**	명 (극도의) 행복감, 희열
0547	**unstained**	형 깨끗한, 오점 없는
0548	**cutting edge**	최첨단
0549	**meet the demand**	수요를 충족시키다
0550	**along the way**	그 과정에서
0551	**in a sense**	어떤 면에서는
0552	**get wrong**	오해하다
0553	**be flattered**	(어깨가) 으쓱해지다
0554	**advance to**	~에 진출하다
0555	**all through**	줄곧, 내내
0556	**hang up**	(전화를) 끊다
0557	**work up**	~을 불러일으키다, 북돋우다
0558	**irrespective of**	~과 상관없이
0559	**correspond with**	~과 일치하다, 서신을 주고받다
0560	**at once**	바로

🍀 최빈출 단어

0561	**decade**	몧 10년
0562	**capacity**	몧 능력; 용량, 수용력
0563	**invention**	몧 발명품, 발명
0564	**concrete**	혱 구체적인, 사실에 의거한
0565	**assert**	동 주장하다 동 (권리 등을) 발휘하다, 행하다
0566	**grasp**	동 파악하다, 이해하다 동 꽉 쥐다, 움켜잡다
0567	**expertise**	몧 전문 기술, 전문 지식
0568	**impose**	동 (새로운 법제도 등을) 도입하다, 시행하다 동 강요하다 동 (세금·형벌·의무 등을) 부과하다
0569	**distribute**	동 나누어 주다, 분배하다
0570	**striking**	혱 눈에 띄는, 현저한 혱 놀라운, 빼어난

🍀 빈출 단어

0571	**ingenious**	혱 독창적인, 기발한; 영리한
0572	**investigation**	몧 조사, 수사
0573	**servant**	몧 하인, 종업원
0574	**disruption**	몧 붕괴, 분열
0575	**tyranny**	몧 전제 정치, 폭정

0576	**stray**	형 길 잃은, 주인이 없는
0577	**factual**	형 사실적인, 사실에 입각한
0578	**anthropology**	명 인류학
0579	**interrogate**	동 심문하다
0580	**fluctuation**	명 변동, 등락; (감정의) 동요
0581	**rage**	명 분노, 격노 동 (격렬하게) 화를 내다 동 급속히 번지다
0582	**disregard**	동 무시하다, 묵살하다 명 무시, 묵살
0583	**relocate**	동 이동시키다, 재배치하다 동 이전하다
0584	**pathway**	명 경로, 진로
0585	**condense**	동 응결되다
0586	**corporal**	형 신체의, 육체적인
0587	**latitude**	명 위도; 지역, 지방
0588	**inject**	동 주입하다, 투입하다

🌸 빈출 숙어

0589	**be based on**	~에 기반하다, ~을 토대로 하다
0590	**a number of**	많은, 다수의
0591	**run out of**	~이 바닥나다, 다 써버리다
0592	**in charge (of)**	(~을) 담당한, 맡은
0593	**go about**	~을 시작하다
0594	**count on**	~에 의지하다, ~를 믿다

🍀 완성 어휘

0595	**limitedly**	부 제한적으로
0596	**unbearable**	형 참을 수 없는
0597	**tribal**	형 부족의
0598	**surplus**	형 잉여의; 명 흑자
0599	**diameter**	명 지름, 직경
0600	**callous**	형 냉담한
0601	**fraudulent**	형 사기의, 부정한
0602	**lethargy**	명 무기력
0603	**oriental**	형 동양의
0604	**politeness**	명 공손함, 정중함
0605	**unforeseen**	형 예측하지 못한, 뜻밖의
0606	**passable**	형 그런대로 괜찮은
0607	**deflating**	형 수축하는, 오그라드는
0608	**inquisitive**	형 호기심이 많은
0609	**muzzle**	동 억압하다, 입막음하다
0610	**interlink**	동 연결하다
0611	**despondence**	명 절망
0612	**psyche**	명 마음, 정신, 영혼
0613	**desolate**	형 황량한, 외로운
0614	**unsurpassed**	형 타의 추종을 불허하는, 탁월한
0615	**squash**	동 짓누르다, 으깨다
0616	**divisible**	형 나눌 수 있는

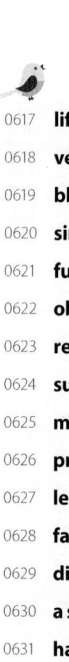

0617	**lifespan**	몡 수명
0618	**venomous**	휑 유독한, 원한을 품은
0619	**blemish**	몡 (피부 등의) 티, 흠
0620	**simulate**	동 모의 실험하다
0621	**fury**	몡 분노, 격분
0622	**oblivious**	휑 의식하지 못하는
0623	**remonstrance**	몡 항의, 불평
0624	**summarize**	동 요약하다
0625	**minuscule**	휑 극소의
0626	**primordial**	휑 태고의, 원시적인
0627	**let off**	~의 책임에서 해방하다
0628	**fall under**	~의 영향을 받다
0629	**die down**	약해지다
0630	**a step ahead of**	(~보다) 한발 앞선
0631	**hang on**	꽉 붙잡다, 기다리다
0632	**vice versa**	거꾸로, 반대로
0633	**knock out**	깜짝 놀라게 하다
0634	**down to**	~에 이르기까지
0635	**get back to**	~으로 돌아가다
0636	**in effect**	실제로는
0637	**give a speech**	연설을 하다
0638	**level off**	안정되다
0639	**on a regular basis**	정기적으로
0640	**hit upon**	(우연히) ~을 생각해내다

🍀 최빈출 단어

0641	**affect**	동 영향을 끼치다
0642	**observation**	명 관찰, 관측 명 (관찰로 얻은) 지식, 의견
0643	**predator**	명 포식자, 포식 동물
0644	**stimulate**	동 자극하다, (관심을) 불러일으키다
0645	**proposal**	명 제안
0646	**unprecedented**	형 전례 없는, 미증유의, 새로운
0647	**distress**	명 고통, 괴로움 동 고통스럽게 하다, 괴롭히다
0648	**identical**	형 동일한, 일치하는
0649	**external**	형 외부의
0650	**handicap**	명 불리한 조건 동 불리하게 만들다

🍀 빈출 단어

0651	**ubiquitous**	형 어디에나 존재하는
0652	**explosive**	명 폭발물; 형 폭발하는, 폭발성의
0653	**troop**	명 군대, 병력
0654	**drastic**	형 극단적인, 급격한
0655	**culprit**	명 주범, 범인

0656	**dump**	동 버리다
0657	**stability**	명 안정성
0658	**intercultural**	형 (다른) 문화 간의
0659	**subordinate**	명 하급자, 부하 형 종속된, 부수적인
0660	**nullify**	동 무효로 하다, 파기하다
0661	**changeable**	형 바뀔 수 있는, 변덕이 심한
0662	**tenant**	명 세입자, 소작인
0663	**divine**	형 신성한, 신의
0664	**ascend**	동 오르다, 올라가다
0665	**falsify**	동 반증하다; 위조하다
0666	**levy**	동 (세금 등을) 징수하다, 부과하다 명 (징수한) 세금, 징수
0667	**pedestrian**	명 보행자
0668	**nimble**	형 날쌘, 재빠른

🍀 빈출 숙어

0669	**tend to**	~하는 경향이 있다
0670	**be involved in**	~에 연루되다, 개입되다
0671	**be attributed to**	~에서 기인하다
0672	**in the midst of**	~ 도중에
0673	**put aside**	저축하다; 제쳐두다, 무시하다
0674	**take time**	시간을 가지다, 시간이 걸리다 천천히 하다

🍀 완성 어휘

0675	**farewell**	몡 이별
0676	**canny**	혱 약삭빠른, 노련한
0677	**furtive**	혱 은밀한, 엉큼한
0678	**evasion**	몡 회피
0679	**condone**	동 용납하다
0680	**falter**	동 흔들리다, 뒷걸음치다
0681	**cliché**	몡 진부한 표현
0682	**powerhouse**	몡 발전소
0683	**paralysis**	몡 마비
0684	**docility**	몡 온순, 유순
0685	**loath**	혱 ~하기를 꺼리는
0686	**clique**	몡 파벌, 패거리
0687	**suffocating**	혱 숨이 막히는, 숨쉬기가 힘든
0688	**aliment**	몡 자양분, 영양분
0689	**deity**	몡 신
0690	**intercede**	동 탄원하다
0691	**vent**	몡 통풍구, 배출구
0692	**concomitant**	혱 수반되는
0693	**precocious**	혱 조숙한, 아이 같지 않은
0694	**puzzlement**	몡 어리둥절함, 얼떨떨함
0695	**adduce**	동 (증거·이유 등을) 제시하다
0696	**unwieldy**	혱 다루기 어려운, 거추장스러운

0697	**maternal**	형 모성의
0698	**vicinity**	명 부근
0699	**ablaze**	형 불길에 휩싸인
0700	**tattered**	형 다 망가진
0701	**facet**	명 측면
0702	**conjecture**	명 추측
0703	**squeamish**	형 지나치게 예민한
0704	**triumphantly**	부 의기양양하여
0705	**distraught**	형 완전히 제정신이 아닌
0706	**misconduct**	명 비행
0707	**convulsion**	명 발작, 경련
0708	**concur with**	~에 동의하다
0709	**let up**	약해지다
0710	**in hand**	현재 하고 있는
0711	**break a bill**	지폐를 바꾸다
0712	**be fined for**	~으로 벌금을 물다
0713	**hand out**	나누어 주다
0714	**an eye for**	~에 대한 안목
0715	**set out**	착수하다
0716	**rife with**	~으로 가득 찬
0717	**lash out**	강타하다
0718	**on the strength of**	~에 힘입어
0719	**at large**	전체적인, 대체적인
0720	**die of**	~으로 죽다, 사망하다

DAY 10

✤ 최빈출 단어

0721	**define**	동 정의하다, 정의를 내리다 동 분명히 나타내다, 명시하다
0722	**fascinate**	동 매료시키다, 마음을 사로잡다
0723	**distant**	형 거리가 먼
0724	**tough**	형 어려운, 힘든
0725	**extraordinary**	형 비범한, 특별한; 이례적인
0726	**conceive**	동 구상하다, 생각하다 동 아이를 가지다
0727	**implement**	동 시행하다, 실시하다 명 도구, 기구
0728	**acute**	형 급성의; 극심한, 심각한 형 예민한, 잘 발달된
0729	**discard**	동 버리다, 폐기하다

✤ 빈출 단어

0730	**mature**	형 성숙한, 다 자란 동 다 자라다, 발달하다
0731	**disposal**	명 처리, 처분; 배치
0732	**inhibit**	동 억제하다, 저해하다, 금지하다
0733	**renowned**	형 유명한
0734	**erupt**	동 분출하다
0735	**despise**	동 경멸하다, 혐오하다

0736	**elusive**	형 규정하기 힘든, 파악하기 어려운 형 교묘하게 피하는
0737	**lament**	동 안타까워하다, 비통해하다 명 비탄, 애도
0738	**exterior**	형 외부의, 바깥의 명 외부, 겉모습
0739	**overlap**	동 겹치다
0740	**halt**	동 멈추다; 명 멈춤, 중단
0741	**breakthrough**	명 획기적 발전; 돌파구
0742	**exasperate**	동 몹시 화나게 하다 동 (병·고통·감정 등을) 악화시키다
0743	**affectionate**	형 다정한, 애정 어린
0744	**liable**	형 ~할 책임이 있는 형 ~하기 쉬운, ~ 할 것 같은
0745	**spiral**	형 나선형의 동 (나선형으로) 상승하다, 급증하다
0746	**peripheral**	형 주변의, 주위의, 지엽적인
0747	**capitulate**	동 굴복하다
0748	**petition**	명 청원, 탄원 동 청원하다, 탄원서를 내다

🍀 빈출 숙어

0749	**depend on**	~에 달려 있다, ~을 신뢰하다
0750	**make sense**	이해가 되다, 타당하다
0751	**as far as**	~하는 한, ~에 관한 한
0752	**cover up**	~을 가리다, 감추다
0753	**keep away from**	멀리하다
0754	**let on**	(비밀을) 털어놓다, 폭로하다

✿ 완성 어휘

0755	**prelude**	명 서두, 전조
0756	**diaphanous**	형 매우 얇은, 거의 투명한
0757	**console**	동 위로하다
0758	**litigation**	명 소송
0759	**preliminary**	형 예비적인, 시초의
0760	**swift**	형 신속한
0761	**resonate**	동 울려 퍼지다
0762	**long-established**	형 오래 전부터 내려온
0763	**outlaw**	동 불법화하다
0764	**vaporous**	형 수증기가 가득한
0765	**amass**	동 모으다
0766	**irritability**	명 (자극에 대한) 감수성
0767	**forthright**	형 솔직한, 숨김없는
0768	**pertinent**	형 적절한, 관련된
0769	**interconnect**	동 서로 연결하다
0770	**resultant**	형 그 결과로 생긴
0771	**deficiency**	명 결핍, 부족, 결점, 결함
0772	**intercept**	동 가로막다
0773	**didactic**	형 교훈적인
0774	**nominal**	형 명목상의
0775	**downsize**	동 줄이다, 축소하다
0776	**mistreat**	동 학대하다

0777	**vie**	동 경쟁하다
0778	**deluge**	명 폭우
0779	**deviate**	동 벗어나다
0780	**complicity**	명 공모
0781	**unconditional**	형 무조건적인
0782	**fathomable**	형 추측할 수 있는
0783	**conceptualize**	동 개념화하다
0784	**entwine**	동 얽히다
0785	**dexterity**	명 기민함, 영리함
0786	**unfettered**	형 제한받지 않는
0787	**snoop**	동 염탐하다
0788	**go around**	(몫이) 돌아가다
0789	**leave no stone unturned**	온갖 수를 다 쓰다
0790	**call it a day**	(일 등을) 그만 끝내다
0791	**loom on**	나타나다
0792	**grab a bite**	간단하게 먹다
0793	**check with**	~와 의논하다
0794	**fresh from**	~을 갓 나온
0795	**come to light**	알려지다, 밝혀지다
0796	**look down on**	~을 경시하다
0797	**out of order**	고장 난
0798	**differ from**	~와 다르다
0799	**give over**	그만두다
0800	**crop up**	불쑥 나타나다

DAY 11

✿ 최빈출 단어

0801	**impact**	몡 영향; 충돌, 충격 동 영향을 주다
0802	**appropriate**	혱 적절한, 적합한 동 도용하다, 전용하다
0803	**domestic**	혱 국내의; 가정의, 집안의
0804	**exception**	몡 예외
0805	**housing**	몡 주택, 주택 공급
0806	**astronomer**	몡 천문학자
0807	**initially**	붐 처음에, 시초에
0808	**dominant**	혱 지배적인, 우세한; 우뚝 솟은
0809	**emit**	동 배출하다, 발산하다

✿ 빈출 단어

0810	**innate**	혱 내재적인, 타고난
0811	**flaw**	몡 결함, 흠
0812	**thoroughly**	붐 철저히, 완전히
0813	**filter**	몡 필터, 여과 장치; 동 여과하다
0814	**compulsory**	혱 의무적인, 필수의
0815	**machinery**	몡 기계; 조직, 기구
0816	**temper**	몡 화, 성질, 성미; 동 완화시키다

0817	**improvisation**	명 즉흥 공연, 즉석에서 하는 것
0818	**alienate**	동 소외하다, 소원하게 하다 동 (재산 등을) 양도하다
0819	**draft**	동 초안을 작성하다 명 초안, 원고
0820	**emulate**	동 모방하다, 따라가다 동 ~와 우열을 겨루다
0821	**revenue**	명 수익, 소득
0822	**transaction**	명 거래, 매매
0823	**paramount**	형 가장 중요한, 최고의 형 탁월한, ~보다 앞선
0824	**consolidate**	동 통합하다; 강화하다
0825	**implicate**	동 연루시키다, 관련되다 동 포함하다
0826	**localize**	동 지역화하다, 국지화하다
0827	**prestigious**	형 명망 있는, 일류의
0828	**captivate**	동 ~의 마음을 사로잡다, 매혹하다

🍀 빈출 숙어

0829	**end up**	결국 ~하게 되다
0830	**take up**	차지하다; (어떤 활동을) 시작하다
0831	**be bound to**	~할 의무가 있다
0832	**be up to**	~에 달려 있다
0833	**turn in**	제출하다; 반환하다
0834	**make over**	양도하다; 고쳐 만들다

🍀 완성 어휘

0835	**witticism**	몡 재치 있는 말, 재담
0836	**denote**	동 의미하다, 조짐을 보여주다
0837	**synonym**	몡 동의어, 유의어
0838	**fatigue**	몡 피로
0839	**giggle**	동 낄낄 웃다; 몡 낄낄거림
0840	**discursive**	혱 두서없는, 산만한
0841	**longitude**	몡 경도
0842	**reconcilable**	혱 조정할 수 있는
0843	**mill**	몡 공장
0844	**cemetery**	몡 묘지
0845	**anomie**	몡 사회적 무질서
0846	**orator**	몡 연설자, 웅변가
0847	**residual**	혱 남은, 잔여의
0848	**adjourn**	동 중단하다
0849	**interdependent**	혱 상호의존적인
0850	**vitiate**	동 손상시키다
0851	**fiery**	혱 불같은, 맹렬한
0852	**interchangeable**	혱 교환할 수 있는
0853	**strife**	몡 갈등, 다툼
0854	**compartment**	몡 객실, 칸
0855	**awe**	몡 경외감
0856	**nourish**	동 영양분을 공급하다

0857	**viability**	뗑 생존력
0858	**encumber**	뙤 지장을 주다
0859	**predicament**	뗑 곤경
0860	**composure**	뗑 평정
0861	**indignation**	뗑 분개
0862	**absorbed**	뼹 ~에 몰두한
0863	**cram**	뙤 밀어 넣다
0864	**repressive**	뼹 억압적인
0865	**idealize**	뙤 이상화하다
0866	**planetary**	뼹 행성의
0867	**encroach**	뙤 침해하다, 침범하다
0868	**semblance**	뗑 외관, 겉모습
0869	**superfluous**	뼹 필요치 않은
0870	**cost an arm and a leg**	큰돈이 들다
0871	**make off**	급히 떠나다, 달아나다
0872	**brush up on**	~을 복습하다
0873	**come by**	얻다
0874	**look upon ~ as ~**	~을 ~으로 간주하다
0875	**in person**	직접
0876	**arise from**	~에서 발생하다
0877	**fall victim to**	~의 희생자가 되다
0878	**turn a blind eye to**	~을 못 본 체하다
0879	**stand a chance**	가능성이 있다
0880	**break up with**	~와 결별하다

DAY 12

🍀 최빈출 단어

0881	**pressure**	명 압력, 압박; 동 압박을 가하다
0882	**consume**	동 소비하다, 소모하다 동 (감정에) 사로잡히다
0883	**boost**	동 활성화하다, 신장시키다 명 후원, 지지, 격려
0884	**likewise**	부 마찬가지로, 똑같이, 비슷하게 부 또한
0885	**hazard**	명 위험, 위험 요소 동 위태롭게 하다, ~의 위험을 무릅쓰다
0886	**meditation**	명 명상; 심사숙고
0887	**adequate**	형 충분한, 적절한
0888	**unemployment**	명 실업, 실업률
0889	**mold**	만들다, 주조하다 명 거푸집, 틀; 곰팡이

🍀 빈출 단어

0890	**impair**	동 손상시키다, 악화시키다 명 손상
0891	**tolerate**	동 용인하다, 참다
0892	**odor**	명 냄새
0893	**consult**	동 상의하다, 상담하다 동 고려하다, 참고하다
0894	**underlying**	형 기초를 이루는, 잠재적인

0895	connotation	명 함축, 내포
0896	indispensable	형 필수적인, 없어서는 안 될
0897	tense	형 긴장한, 신경이 날카로운 동 (근육을) 긴장시키다
0898	perpetuate	동 영속시키다, 영구화하다
0899	economical	형 경제적인, 절약하는
0900	expedite	동 추진하다, 촉진하다
0901	triumph	명 대성공, 승리 동 승리를 거두다
0902	aloof	형 냉담한, 무관심한
0903	ameliorate	동 개선하다, 개량하다
0904	cater	동 음식을 공급하다 동 (요구 등에) 부응하다
0905	empower	동 할 수 있게 하다, 능력을 주다 동 권한을 부여하다
0906	presume	동 추정하다, ~라고 생각하다 동 대담하게 ~하다
0907	allude	동 암시하다
0908	ostentatious	형 호화로운, 과시적인

🏵 빈출 숙어

0909	deal with	~을 다루다
0910	be willing to	기꺼이 ~하다
0911	above all	무엇보다도, 특히
0912	when it comes to	~에 관한 한
0913	keep up with	따라잡다
0914	lapse into	~에 빠지다

🍀 완성 어휘

0915	**epidemic**	몡 전염병; 혱 전염성의
0916	**overhaul**	동 철저하게 조사하다
0917	**negligible**	혱 무시해도 될 정도의, 하찮은
0918	**norms**	몡 규준, 규범
0919	**rejuvenate**	동 활기를 되찾게 하다
0920	**venturesome**	혱 모험적인
0921	**synthetic**	혱 합성한, 종합적인
0922	**disparaging**	혱 헐뜯는, 폄하하는
0923	**lessen**	동 줄다, 줄이다
0924	**alibi**	몡 변명, 구실
0925	**stride**	동 성큼성큼 걷다
0926	**intervene**	동 개입하다
0927	**rouse**	동 깨우다
0928	**deport**	동 강제 추방하다
0929	**penal**	혱 형벌의
0930	**wordy**	혱 장황한
0931	**sprawl**	몡 무분별한 확장; 동 뻗다
0932	**swoop**	몡 급강하
0933	**confer**	동 수여하다
0934	**defraud**	동 횡령하다, 속여서 빼앗다
0935	**oppress**	동 탄압하다, 억압하다
0936	**boisterous**	혱 활기가 넘치는

0937	**distill**	동 증류하다
0938	**compulsive**	형 강박적인
0939	**indisposed**	형 ~힐 수 없는
0940	**catastrophe**	명 재앙
0941	**alias**	명 가명, 별명
0942	**plantation**	명 대규모 농원, 대농장
0943	**fractious**	형 괴팍한
0944	**apace**	부 빠른 속도로
0945	**avidity**	명 욕망, 갈망
0946	**perilous**	형 아주 위험한
0947	**texture**	명 질감
0948	**creaky**	형 삐걱거리는
0949	**take the lead**	지도적 위치를 차지하다
0950	**do justice to**	~을 공정하게 대하다
0951	**take effect**	발효되다, 시행되다
0952	**on the go**	끊임없이 일하는
0953	**go south**	나빠지다, 악화되다
0954	**stem from**	~에서 생겨나다
0955	**pass out**	의식을 잃다, 나눠주다
0956	**make up to**	~에게 아첨하다
0957	**on account of**	~때문에
0958	**call on**	~에게 청하다
0959	**go nowhere**	아무런 진전이 없다
0960	**generally speaking**	일반적으로 말하면

DAY 13

✿ 최빈출 단어

0961	**response**	몡 반응, 응답
0962	**component**	몡 구성 요소
0963	**afford**	동 ~할 여유가 되다
0964	**reliable**	혱 의지할 수 있는, 신뢰할 만한
0965	**proportion**	몡 비율, 부분
0966	**physics**	몡 물리학
0967	**facilitate**	동 촉진하다, 활성화하다 동 가능하게 하다
0968	**indication**	몡 조짐, 징후, 표시
0969	**silence**	몡 침묵, 고요함
0970	**fertile**	혱 비옥한, 풍부한; 번식력이 있는

✿ 빈출 단어

0971	**dedicate**	동 바치다, 헌신하다
0972	**incentive**	몡 동기, 자극; 장려책, 우대책
0973	**equate**	동 동일시하다; ~과 일치하다
0974	**persuasive**	혱 설득력 있는
0975	**lucrative**	혱 수익성이 좋은
0976	**greedy**	혱 탐욕스러운, 욕심이 많은

0977	**anonymous**	형 익명의
0978	**ingenuity**	명 창의력, 독창성
0979	**novice**	명 초보자, 풋내기
0980	**conversion**	명 전환, 개조
0981	**hover**	동 맴돌다, 배회하다
0982	**palatable**	형 맛있는, 맛 좋은 형 마음에 드는, 구미에 맞는
0983	**apex**	명 꼭대기, 정점
0984	**edible**	형 먹을 수 있는, 식용의
0985	**plight**	명 곤경, 역경
0986	**faint**	형 (빛, 소리, 냄새 등이) 희미한, 모호한 동 실신하다
0987	**infinite**	형 무한한
0988	**splendid**	형 화려한, 훌륭한

🍀 빈출 숙어

0989	**refer to**	~을 나타내다, 가리키다 ~을 참조하다
0990	**apply to**	~에 적용되다; ~에 지원하다
0991	**happen to**	~하게 되다, (어떤 일이) ~에게 일어나다
0992	**a great deal of**	많은, 다량의
0993	**in no time**	곧, 당장에
0994	**make the best of**	~을 최대한 이용하다

🌸 완성 어휘

0995	**forefather**	명	선조
0996	**hackneyed**	형	진부한
0997	**fictitious**	형	허구의
0998	**exhortative**	형	권고적인
0999	**overrule**	동	기각하다
1000	**underprivileged**	형	혜택을 못 받는
1001	**cognizant**	형	인식하고 있는
1002	**conflicting**	형	모순되는
1003	**rugged**	형	울퉁불퉁한
1004	**raid**	명	습격, 급습
1005	**vengeance**	명	복수, 앙갚음
1006	**recede**	동	물러나다
1007	**appendix**	명	부속물, 부록, 맹장
1008	**oddity**	명	괴이함, 이상한 것
1009	**embezzle**	동	횡령하다
1010	**dismally**	부	쓸쓸하게, 우울하게
1011	**exemplify**	동	전형적인 예가 되다
1012	**retardation**	명	지연, 저지
1013	**disenchantment**	명	환멸
1014	**corpse**	명	시체
1015	**saturate**	동	포화시키다
1016	**acquisitive**	형	소유욕이 많은

1017	**adjacent**	형 인접한
1018	**unforgiving**	형 용서하지 않는
1019	**misplaced**	형 부적절한
1020	**opulent**	형 호화로운, 부유한
1021	**continuum**	명 연속체
1022	**coexist**	동 공존하다
1023	**prosaic**	형 평범한, 상상력이 없는
1024	**conceit**	명 자만, 자부심
1025	**defer**	동 미루다, 연기하다
1026	**assailant**	명 폭행범
1027	**resuscitate**	동 소생시키다
1028	**molten**	형 녹은
1029	**take a nosedive**	폭락하다, 급강하하다
1030	**on a par with**	~와 동등하게
1031	**pass on**	넘겨주다, 전달하다
1032	**per capita**	1인당
1033	**call off**	중지하다, 취소하다
1034	**live up to**	~에 부끄럽지 않게 살다
1035	**stick to**	~을 계속하다
1036	**break down**	고장 나다, 무너지다
1037	**gaze at**	응시하다
1038	**strike a balance**	청산하다
1039	**drift away**	벗어나다, 줄행랑치다
1040	**strip away**	벗겨내다

DAY 14

🍀 최빈출 단어

1041	**standard**	휑 일반적인, 보통의; 뗑 수준, 기준
1042	**spell**	뗑 (한) 시기, 잠깐 뙤 (철자를) 말하다, 맞게 쓰다
1043	**controversial**	휑 논란이 많은
1044	**mostly**	뵈 대부분, 주로
1045	**perception**	뗑 인식, 지각
1046	**racial**	휑 인종의, 민족의
1047	**representative**	뗑 대표자, 대리인; 휑 대표적인
1048	**alleviate**	뙤 완화하다
1049	**insight**	뗑 통찰력, 이해
1050	**inhabitant**	뗑 거주자, 서식 동물
1051	**obscure**	휑 애매한, 잘 알려지지 않은 뙤 모호하게 하다

🍀 빈출 단어

1052	**conservative**	휑 보수적인
1053	**intent**	뗑 목적, 의도 휑 전념하는, 몰두하는
1054	**capitalism**	뗑 자본주의
1055	**tempt**	뙤 유혹하다, 부추기다
1056	**perplex**	뙤 당황하게 하다

1057	**eligible**	형 자격이 있는, 조건이 맞는 명 적임자, 적격자
1058	**erosion**	명 침식, 부식
1059	**auction**	명 경매
1060	**obsolete**	형 구식의
1061	**treaty**	명 조약
1062	**appraise**	동 평가하다, 감정하다
1063	**affirm**	동 단언하다
1064	**apprehensive**	형 우려하는, 걱정되는
1065	**lure**	동 유혹하다, 유인하다
1066	**fluent**	형 유창하게 말하는, 능수능란한
1067	**leftover**	형 남은; 명 남은 것
1068	**faultless**	형 흠잡을 데 없는, 틀림없는

🌸 빈출 숙어

1069	**due to**	~ 때문에, ~에 기인하는
1070	**in case (of)**	~의 경우, 만약 ~ 한다면
1071	**make use of**	~을 사용하다
1072	**consistent with**	~과 일치하는
1073	**for the time being**	당분간
1074	**fall short of**	~에 못 미치다

🌸 완성 어휘

1075	**radiation**	몡 방사능, 방사선
1076	**pompous**	휑 거만한, 화려한, 과시하는
1077	**officious**	휑 참견하기 좋아하는
1078	**parasitic**	휑 기생하는
1079	**inland**	휑 내륙에 있는
1080	**abrogate**	됩 폐지하다
1081	**probe**	됩 조사하다; 몡 조사
1082	**relent**	됩 (마음이) 누그러지다
1083	**forerunner**	몡 전신, 선구자
1084	**positivity**	몡 확실함
1085	**inaudible**	휑 들리지 않는
1086	**grandiose**	휑 (너무) 거창한
1087	**incredulous**	휑 믿지 않는
1088	**efficacy**	몡 효험
1089	**maximization**	몡 극대화
1090	**savory**	휑 풍미 있는
1091	**vibrancy**	몡 진동, 공명
1092	**wary**	휑 경계하는
1093	**disparity**	몡 차이, 격차
1094	**inviolate**	휑 존중되어야 할
1095	**sanctity**	몡 존엄성, 신성함
1096	**disorientation**	몡 방향 감각 상실
1097	**shareholder**	몡 주주

1098	**disgrace**	명 수치, 불명예
1099	**occult**	형 신비로운, 초자연적인
1100	**fabulously**	부 엄청나게, 굉장히
1101	**policing**	명 치안 유지 활동
1102	**bulk**	명 대부분, 부피
1103	**fastidious**	형 세심한, 꼼꼼한
1104	**fathom**	동 (의미 등을) 헤아리다
1105	**paradox**	명 역설
1106	**segregate**	동 차별하다, 구분하다
1107	**autobiography**	명 자서전
1108	**retrospective**	형 회상하는
1109	**frantic**	형 제정신이 아닌, 광기의
1110	**zero in on**	~에 집중하다, 초점을 맞추다
1111	**cover letter**	자기소개서
1112	**pros and cons**	장단점
1113	**put forward**	제안하다, 제기하다
1114	**dust down**	(먼지를) 털다
1115	**by any means**	어떻게 해서든
1116	**draw up**	~을 작성하다
1117	**strive for**	~을 얻으려고 노력하다
1118	**angle for**	~을 노리다
1119	**thumb through**	~을 급히 훑어보다
1120	**make up one's mind**	결심하다

DAY 15

✤ 최빈출 단어

1121	**organism**	명 생명체, 유기체
1122	**characteristic**	명 특징; 형 특유의
1123	**status**	명 (사회적) 지위, 신분 명 상황, 사정
1124	**extensive**	형 폭넓은, 광대한
1125	**era**	명 시대, 시기
1126	**infer**	동 추론하다; 뜻하다, 암시하다
1127	**imitate**	동 모방하다, 본뜨다
1128	**prohibit**	동 금지하다; 방해하다
1129	**inadequate**	형 불충분한, 부적절한
1130	**faculty**	명 교수진, (대학의) 학부 명 (특정한) 능력, 재능

✤ 빈출 단어

1131	**occasional**	형 가끔의, 때때로의
1132	**uncertainty**	명 불확실성
1133	**realm**	명 영역, 범위; 왕국
1134	**supernatural**	형 초자연적인, 불가사의한 명 초자연적 존재
1135	**ponder**	동 (곰곰이) 생각하다, 숙고하다
1136	**navigate**	동 길을 찾다; 항해하다

1137	**proliferation**	명 확산, 만연
1138	**assimilate**	동 동화시키다, 동화되다 동 완전히 이해하다, 받아들이다
1139	**align**	동 나란히 정렬시키다 동 손을 잡게 하다, 제휴하게 하다
1140	**embody**	동 포함하다, 담다 동 구현하다, 구체화하다
1141	**flock**	동 모이다, 떼를 짓다; 명 무리, 떼
1142	**verify**	동 확인하다, 입증하다
1143	**correlation**	명 상관관계
1144	**intersection**	명 교차로, 교차 지점
1145	**predecessor**	명 전임자, 이전 것
1146	**lethal**	형 치명적인
1147	**pivotal**	형 중추적인, 중요한
1148	**fragment**	명 파편, 조각
1149	**coalition**	명 연합, 연합체

🍀 빈출 숙어

1150	**in order to**	~하기 위해서
1151	**dependent on**	~에 의존하는
1152	**pay ~ off**	~을 지불하다, 청산하다 성공하다, 성과를 내다
1153	**to date**	지금까지, 현재까지
1154	**come down with**	(병에) 걸리다

🌸 완성 어휘

1155	**tract**	몡 지역, 지대
1156	**mainland**	몡 중심지, 본토
1157	**patriotism**	몡 애국심
1158	**modeling**	몡 모형 제작, 조형
1159	**trade-off**	몡 (서로 대립하는 요소의) 균형
1160	**meander**	동 (정처 없이) 거닐다
1161	**override**	동 무시하다, 우선하다
1162	**aspiring**	혱 포부가 있는
1163	**waterlogged**	혱 침수된
1164	**domestically**	뷔 국내에서, 가정적으로
1165	**spokesperson**	몡 대변인
1166	**enormity**	몡 막대함, 무법성
1167	**corruptible**	혱 부패할 수 있는
1168	**embark**	동 승선하다, 승선시키다
1169	**omen**	몡 징조, 조짐
1170	**thoroughness**	몡 철두철미함
1171	**disinflation**	몡 인플레이션 완화
1172	**incessant**	혱 끊임없는, 쉴 새 없는
1173	**protract**	동 (시간을) 오래 끌다
1174	**chatter**	동 수다를 떨다
1175	**electron**	몡 전자
1176	**imperturbability**	몡 침착, 냉정

1177	**blink**	동 (눈을) 깜빡이다
1178	**nostalgia**	명 향수, 그리움
1179	**commonality**	명 공통성
1180	**amicable**	형 우호적인, 원만한
1181	**moist**	형 촉촉한, 습기 찬
1182	**harmonious**	형 조화로운
1183	**bequeath**	동 물려주다, 남기다
1184	**sizable**	형 상당한 크기의
1185	**infuriate**	동 격노하게 하다
1186	**cavalier**	형 무신경한
1187	**bounce back**	다시 회복되다
1188	**a piece of cake**	식은 죽 먹기
1189	**out of the blue**	갑자기, 난데없이
1190	**put up**	내걸다, 제시하다
1191	**go aloft**	죽다, 천당에 가다
1192	**bail out**	~를 보석금으로 빼내다
1193	**by means of**	~을 써서, ~의 도움으로
1194	**(put) in a nutshell**	간단히 말해서
1195	**out of fashion**	구식의, 유행에 뒤떨어진
1196	**slip away**	사라지다, 죽다
1197	**sit on**	~을 쥐고 있다
1198	**pick up on**	~을 알아차리다
1199	**come out with**	~을 공표하다
1200	**speak for itself**	자명하다, 분명하다

DAY 16

🍀 최빈출 단어

1201	**production**	명 생산, 제작
1202	**typically**	부 보통, 일반적으로
1203	**urban**	형 도시의
1204	**grant**	동 수여하다, 부여하다 동 허가하다, 승인하다 명 (정부 등에서 주는) 보조금
1205	**investigate**	동 조사하다, 살피다
1206	**stock**	명 주식, 주식자본; 재고, 재고품
1207	**embarrass**	동 당황하게 하다, 곤란하게 하다
1208	**retain**	동 유지하다; 보유하다, 간직하다
1209	**admire**	동 존경하다, 동경하다; 감탄하다
1210	**ministry**	명 (정부의 각) 부

🍀 빈출 단어

1211	**peak**	명 절정, 정점
1212	**pronounce**	동 발음하다; 단언하다, 표명하다
1213	**overwhelming**	형 굉장한, 압도적인
1214	**medieval**	형 중세의, 중세시대의
1215	**revise**	동 수정하다
1216	**static**	형 고정된, 변화가 없는

1217	**attendance**	몡 출석, 출석률
1218	**appease**	동 달래다, 진정시키다
1219	**famine**	몡 기근, 흉작
1220	**enact**	동 제정하다, 법제화하다
1221	**contend**	동 주장하다; 겨루다, 다투다
1222	**exhilarate**	동 아주 기쁘게 만들다, 기운을 북돋우다
1223	**streamline**	동 능률화하다
1224	**questionnaire**	몡 설문지
1225	**plunge**	동 (어떤 상황에) 몰아넣다, 이르게 하다 동 급락하다; 몡 급락
1226	**antibody**	몡 항체
1227	**patch**	몡 부분, 조각; 작은 땅
1228	**vendor**	몡 판매 회사; 노점상
1229	**presumptuous**	혱 주제넘은, 건방진

🍀 빈출 숙어

1230	**in other words**	다시 말해서, 달리 말하면
1231	**turn to**	~에 의지하다
1232	**account for**	~을 설명하다
1233	**break in**	침입하다
1234	**make it**	해내다, 성공하다

🍀완성 어휘

1235	**interpersonal**	형 사람 사이의, 대인 관계의
1236	**contestant**	명 참가자
1237	**mainstream**	명 주류; 형 주류의
1238	**predisposition**	명 (질병의) 소인, 성향, 경향
1239	**heedless**	형 부주의한
1240	**allure**	명 매력; 동 유혹하다
1241	**enslavement**	명 노예화
1242	**rigorous**	형 엄격한
1243	**hurdle**	명 장애물
1244	**disproportionate**	형 불균형의
1245	**orientation**	명 성향, 방향
1246	**outback**	명 오지, 미개척지
1247	**overpower**	동 제압하다, 압도하다
1248	**jovial**	형 쾌활한
1249	**perishable**	형 썩기 쉬운, 부패하기 쉬운
1250	**enrollee**	명 등록자
1251	**remembrance**	명 추억
1252	**omit**	동 생략하다
1253	**unattended**	형 주인이 없는
1254	**disperse**	동 흩어지다
1255	**instill**	동 서서히 주입하다
1256	**sublime**	형 숭고한, 절묘한

1257	**chronological**	형 연대순의
1258	**acquiesce**	동 묵인하다
1259	**sterile**	형 불임의, 불모의
1260	**benefactor**	명 후원자
1261	**scandalous**	형 수치스러운
1262	**collaborate**	동 협력하다
1263	**brutally**	부 야만스럽게
1264	**seizure**	명 압수, 장악
1265	**deplorable**	형 비참한, 유감스러운
1266	**stuffy**	형 답답한, 딱딱한
1267	**provocative**	형 도발적인, 화를 돋우는
1268	**unsightly**	형 보기 흉한
1269	**plucky**	형 대담한, 용기 있는, 단호한
1270	**over the moon**	너무나도 황홀한
1271	**around the corner**	임박한, 바로, 곧
1272	**on behalf of**	~을 대신하여, ~을 대표하여
1273	**turn up**	나타나다
1274	**put emphasis on**	~을 강조하다
1275	**lag behind**	뒤처지다
1276	**pass over**	제외하다, 무시하다
1277	**go far**	성공하다
1278	**chip away**	조금씩 잘라내다
1279	**trip over**	~에 발이 걸려 넘어지다
1280	**be better off**	(처지가) 더 낫다

DAY 17

❀ 최빈출 단어

1281	**climate**	몡 기후; 분위기
1282	**forward**	뷔 (위치가) 앞으로; 혱 앞으로 가는
1283	**collapse**	몡 붕괴; 동 무너지다, 쓰러지다
1284	**interpret**	동 해석하다, 이해하다; 통역하다
1285	**bias**	몡 편견, 성향; 동 편견을 갖게 하다
1286	**delicate**	혱 섬세한, 정교한, 까다로운 혱 연약한, 다치기 쉬운; 우아한
1287	**immigrant**	몡 이민자, 이주민
1288	**substitute**	몡 대리인, 대용품 동 대체하다, 대신하다

❀ 빈출 단어

1289	**corrupt**	혱 부패한 동 부패하게 만들다, 타락시키다
1290	**persistent**	혱 지속적인; 끈질긴, 집요한
1291	**pest**	몡 해충
1292	**sensation**	몡 감각, 느낌 몡 센세이션[선풍을 일으키는 사람, 사건]
1293	**intuition**	몡 직감, 직관
1294	**dispatch**	동 파견하다, 보내다; 몡 파견, 발송
1295	**violation**	몡 위법 행위, 위반

1296	**enterprise**	명 기업
1297	**entertain**	동 즐겁게 해 주다
1298	**premise**	명 전제, 가정
1299	**benevolent**	형 자비로운, 친절한
1300	**utmost**	형 최대한의, 최고의
1301	**prospective**	형 유망한, 장래의
1302	**signify**	동 의미하다, 뜻하다
1303	**prevail**	동 만연하다, 팽배하다 동 승리하다, 이기다
1304	**recurrent**	형 반복되는, 재발되는
1305	**shallow**	형 얕은; 얄팍한, 피상적인
1306	**flatten**	동 평평하게 하다
1307	**nebulous**	형 모호한
1308	**impregnable**	형 견고한, 난공불락의

🍀 빈출 숙어

1309	**work out**	(일이) 잘 풀리다, 해결하다; 운동하다
1310	**accustomed to**	~에 익숙한
1311	**prior to**	~에 앞서, 먼저
1312	**wipe out**	~을 완전히 없애 버리다, 파괴하다 ~를 녹초로 만들다, 기진맥진하게 만들다
1313	**make a remark**	발언을 하다
1314	**give ~ a ride[lift]**	태워주다

🌸 완성 어휘

1315	**gauge**	명	측정기
1316	**maneuver**	동	조작하다, 책략을 짜다
1317	**terse**	형	간결한
1318	**posture**	명	자세
1319	**craving**	명	갈망, 열망
1320	**colloquial**	형	구어의
1321	**hideous**	형	불쾌한, 꺼림칙한
1322	**polemic**	명	격론, 논쟁
1323	**allusive**	형	암시적인
1324	**entangled**	형	얼기설기 얽힌
1325	**melancholy**	명	우울감
1326	**nobility**	명	귀족
1327	**autonomic**	형	자율적인, 자치의
1328	**rivalry**	명	경쟁, 경쟁의식
1329	**respectable**	형	존경할 만한
1330	**materially**	부	실질적으로
1331	**worldly**	형	세속적인
1332	**debunk**	동	틀렸음을 밝히다
1333	**kidnap**	동	납치하다
1334	**stance**	명	입장
1335	**enshrine**	동	소중히 간직하다
1336	**ornate**	형	화려하게 장식된

1337	**galvanize**	동 자극하다, 격려하다
1338	**doomy**	형 불길한
1339	**caustic**	형 부식성의, 신랄한
1340	**succinct**	형 간단명료한
1341	**ludicrous**	형 터무니없는
1342	**foe**	명 적
1343	**stringent**	형 엄중한
1344	**concord**	명 화합
1345	**equanimity**	명 침착, 평정
1346	**cautiously**	부 조심스럽게
1347	**fungus**	명 균류, 곰팡이류
1348	**revocation**	명 폐지, 철회
1349	**notification**	명 알림, 통고
1350	**geography**	명 지리학
1351	**be doomed to**	~하게 마련이다
1352	**be to blame for**	~에 대한 책임이 있다
1353	**at the last minute**	임박해서, 마지막 순간에
1354	**hang out**	어울리다
1355	**come into one's own**	명예·신용을 얻다
1356	**tune in**	맞춰 듣다, 귀 기울이다
1357	**in defiance of**	~에 대항하여
1358	**be cut out to be**	~의 자질이 있는
1359	**off hand**	준비 없이, 즉석에서
1360	**pull through**	회복하다

DAY 18

❀ 최빈출 단어

1361	**criticize**	동 비판하다
1362	**proper**	형 적절한, 알맞은
1363	**vary**	동 다르다, 달라지다 동 바꾸다, 변경하다
1364	**crucial**	형 중대한, 결정적인
1365	**stable**	형 안정된, 안정적인
1366	**subtle**	형 미묘한, 감지하기 힘든 형 (감각이) 예민한, 섬세한
1367	**insomnia**	명 불면증
1368	**sensible**	형 분별력 있는, 현명한
1369	**ethnic**	형 민족의, 인종의
1370	**optimistic**	형 낙관적인
1371	**medication**	명 약물치료

❀ 빈출 단어

1372	**genuine**	형 진정한, 진짜의
1373	**mine**	명 광산
1374	**veteran**	명 참전 용사; 전문가
1375	**duplicate**	동 복제하다, 사본을 만들다 명 사본
1376	**prosperous**	형 성공한, 부유한

1377	**consecutive**	혱 연이은, 잇따른
1378	**surveillance**	몡 감시
1379	**playwright**	몡 극작가
1380	**impediment**	몡 장애, 장애물
1381	**downward**	혱 하향의, 내려가는
1382	**formulate**	동 고안하다, 만들어 내다 동 공식으로 나타내다
1383	**blueprint**	몡 청사진, 계획
1384	**vertical**	혱 수직의, 세로의
1385	**cosmic**	혱 우주의
1386	**generalize**	동 일반화하다
1387	**replenish**	동 보충하다, 다시 채우다
1388	**postulation**	몡 전제 조건, 가정

🍀 빈출 숙어

1389	**in terms of**	~의 측면에서
1390	**go through**	(과정·절차 등) 거치다, 겪다 면밀히 살피다
1391	**on the contrary**	반대로
1392	**pay attention to**	~에 관심을 기울이다
1393	**out of the question**	불가능한, 가당치 않은
1394	**in a row**	연달아

🍀 완성 어휘

1395	**margin**	명	여백
1396	**testify**	동	증언하다, 증명하다
1397	**problematic**	형	문제가 있는
1398	**baffle**	동	당황하게 만들다
1399	**veto**	명	거부권
1400	**composing**	형	진정시키는
1401	**pastime**	명	취미
1402	**mourn**	동	애도하다
1403	**lust**	명	욕망
1404	**whim**	명	(일시적인) 기분, 변덕
1405	**outperform**	동	능가하다
1406	**averse**	형	싫어하는
1407	**watchful**	형	경계하는
1408	**devilish**	형	사악한, 악마 같은
1409	**seasonally**	부	계절 따라, 정기적으로
1410	**extraterrestrial**	형	외계의; 명 외계인
1411	**emblem**	명	상징, 표상
1412	**enterprising**	형	진취력이 있는
1413	**oscillate**	동	진동하다
1414	**unnerve**	동	불안하게 만들다
1415	**endemic**	형	고유의, 고질적인
1416	**lineage**	명	혈통

1417	**cryptically**	부 은밀히, 애매하게
1418	**corrosive**	형 부식을 일으키는
1419	**capricious**	형 변덕스러운
1420	**timed**	형 시기적절한
1421	**dilapidated**	형 다 허물어져 가는
1422	**monopoly**	명 독점, 전매
1423	**staffer**	명 직원
1424	**composite**	형 합성의
1425	**coloration**	명 착색, 천연색
1426	**autocratic**	형 독재의, 독재적인
1427	**dishonesty**	명 부정직, 불성실
1428	**bother with**	~으로 걱정하게 하다
1429	**reflect on**	깊이 생각하다
1430	**rack one's brain**	머리를 짜내서 생각하다
1431	**run off**	달아나다, 피하다
1432	**take after**	~를 닮다
1433	**wrap up**	(합의·회의 등을) 마무리 짓다
1434	**get back on**	~로 돌아오다
1435	**in the wake of**	~에 뒤이어
1436	**pull over**	(차를) 길가에 대다
1437	**hinge on**	~에 달려있다
1438	**have[take] pity on**	~을 가엽게 여기다
1439	**under no circumstances**	어떠한 경우에도
1440	**between the lines**	넌지시, 암시적으로

DAY 19

🍀 최빈출 단어

1441	**specific**	형 특정한, 특별한 형 구체적인, 명확한
1442	**application**	명 지원, 지원서; 사용, 적용
1443	**dependent**	형 ~에 달려 있는; 의존하는, 종속된
1444	**convert**	동 개조하다, 변환하다 동 전용하다, 유용하다
1445	**preference**	명 선호, 애호
1446	**competent**	형 유능한, 능력 있는
1447	**arrangement**	명 배치, 구성; 협정, 협의 명 준비, 마련
1448	**acquire**	동 얻다, 획득하다, 습득하다
1449	**devise**	동 고안하다, 생각해 내다
1450	**curb**	동 억제하다, 제한하다

🍀 빈출 단어

1451	**modification**	명 수정, 변경
1452	**vicious**	형 악랄한, 타락한
1453	**rescue**	명 구출, 구조; 동 구조하다, 구하다
1454	**coverage**	명 보도, 취재
1455	**fist**	명 주먹
1456	**racism**	명 인종 차별주의

1457	**popularize**	동 대중화하다
1458	**radiant**	형 밝은, 빛나는
1459	**proclaim**	동 선언하다
1460	**resilience**	명 회복력, 탄력성
1461	**emigrate**	동 이민을 가다, 이주시키다
1462	**procure**	동 구하다, 확보하다
1463	**maritime**	형 해상의, 바다의, 해안가에 접한
1464	**inward**	형 내면의, 마음속의 부 속으로, 안쪽에
1465	**prolific**	형 다작의, 다산의, 열매를 많이 맺는 형 ~이 풍부한
1466	**verse**	명 연, 절, 운문
1467	**sanitary**	형 위생적인, 위생의, 깨끗한
1468	**prodigal**	형 사치스러운, 호탕한 형 ~이 아주 많은, 풍부한

🍀 빈출 숙어

1469	**turn out**	~인 것으로 드러나다
1470	**play a role (in)**	역할을 하다, 한몫을 하다
1471	**look into**	조사하다, 자세히 살피다
1472	**come into existence**	생기다, 나타나다
1473	**lay over**	경유하다, 머무르다 연기하다, 미루다
1474	**wear out**	마모되다, (낡아서) 떨어지다

🍀 완성 어휘

1475	**salient**	형 두드러진, 중요한
1476	**theatrical**	형 연극의, 과장된
1477	**foreshadow**	동 전조가 되다, 조짐을 보이다
1478	**comply**	동 준수하다
1479	**grimace**	동 얼굴을 찡그리다
1480	**ravenous**	형 게걸스러운, 엄청난
1481	**amenable**	형 순종하는
1482	**enjoin**	동 (~을 하도록) 명하다
1483	**mirthful**	형 유쾌한, 명랑한
1484	**senator**	명 상원 의원
1485	**parsimony**	명 인색함
1486	**accredited**	형 승인받은, 공인된
1487	**drizzle**	동 이슬비가 내리다
1488	**kinfolk**	명 친척, 친족
1489	**beset**	동 괴롭히다
1490	**hypnosis**	명 최면
1491	**squad**	명 (같은 일을 하는) 대, 조, 반
1492	**subliminal**	형 잠재의식의
1493	**exhaustive**	형 완전한, 철저한
1494	**outsourcing**	명 외주 제작, 외부 위탁
1495	**erroneously**	부 잘못되게
1496	**logistical**	형 수송의, 병참의

1497	**tilt**	통 기울어지다; 명 기울기
1498	**crackdown**	명 엄중 단속, 탄압
1499	**inadvertent**	형 부주의한, 소홀한
1500	**irretrievable**	형 돌이킬 수 없는
1501	**blandness**	명 맛이 없음, 무미건조함
1502	**ancillary**	형 보조적인, 부수적인
1503	**constrict**	통 수축되다, 위축시키다
1504	**gallantry**	명 용맹, 무용
1505	**oath**	명 맹세, 서약
1506	**day-to-day**	형 일상의, 나날의
1507	**up-to-the-minute**	형 최첨단의
1508	**back down on**	철회하다, 패배를 인정하다
1509	**black sheep**	골칫덩이, 말썽꾼
1510	**be accused of**	~으로 비난받다, 피소되다
1511	**come forward**	나서다
1512	**scratch off**	~에서 지우다
1513	**throw off**	떨쳐 버리다
1514	**slip off**	벗겨지다
1515	**in (a) ~ fashion**	~한 방식으로
1516	**push aside**	옆으로 밀쳐내다
1517	**date from**	~부터 시작되다
1518	**take a nap**	낮잠을 자다
1519	**no sooner**	~하자마자
1520	**in common**	공동으로, 공통으로

DAY 20

✿ 최빈출 단어

1521	**diversity**	몡 다양성, 포괄성
1522	**sequence**	몡 순서, 차례, 서열 몡 (연속적인) 일련의 사건들
1523	**excessive**	혱 과도한, 지나친
1524	**harsh**	혱 거친, 가혹한
1525	**transport**	몡 수송, 운송 동 수송하다, 운반하다
1526	**multiple**	혱 많은, 다수의, 다양한; 몡 배수
1527	**formal**	혱 공식적인, 정규의
1528	**myth**	몡 신화
1529	**given**	혱 특정한, (이미) 정해진 전 ~을 고려해 볼 때
1530	**nurture**	동 키우다, 양육하다 몡 양육, 육성

✿ 빈출 단어

1531	**consent**	몡 동의, 합의, 인가 동 동의하다, 인가하다, 허락하다
1532	**prerequisite**	몡 필요조건, 전제 조건
1533	**loyalty**	몡 충성심, 충실
1534	**prospect**	몡 가능성, 가망; 동 탐사하다
1535	**superficial**	혱 피상적인, 표면적인

1536	**absurd**	형 터무니없는, 부조리한
1537	**glacier**	명 빙하
1538	**haunt**	동 괴롭히다, 계속 떠오르다 동 출몰하다, 나타나다
1539	**warrior**	명 전사
1540	**prosecutor**	명 검찰관, 기소자
1541	**imperative**	형 필수적인, 아주 중요한 형 명령조의, 단호한
1542	**predominantly**	부 주로, 대부분
1543	**applaud**	동 박수갈채를 보내다
1544	**gratitude**	명 감사, 고마움
1545	**candid**	형 솔직한, 숨김없는 형 공평한, 편견 없는
1546	**unfold**	동 펼치다, 펴다 동 (생각을) 밝히다, 나타내다
1547	**weave**	동 엮다, 짜다
1548	**proficient**	형 능숙한

🍀 빈출 숙어

1549	**used to**	~하곤 했다
1550	**point out**	지적하다, 가리키다
1551	**as though**	마치 ~인 것처럼
1552	**look to**	~을 생각해보다, ~에 주의하다 돌보다, 보살피다
1553	**make out**	알아보다, 분간하다; 증명하다
1554	**at hand**	당면한, 머지않은

🌸 완성 어휘

1555	**Fahrenheit**	혱 화씨의; 명 화씨
1556	**resurgence**	명 부활, 재기
1557	**theorist**	명 이론가
1558	**impertinent**	혱 무례한, 관계없는
1559	**recessive**	혱 열성의, 퇴행의
1560	**amiable**	혱 상냥한, 다정한
1561	**sanitize**	동 위생 처리하다
1562	**condiment**	명 양념, 조미료
1563	**etch**	동 선명히 그리다, 새기다
1564	**onshore**	혱 육지의
1565	**forecaster**	명 기상 예보관
1566	**bejeweled**	혱 보석으로 장식한
1567	**misconception**	명 오해, 오인
1568	**acquaintance**	명 지인, 친분
1569	**cowardly**	혱 비겁한; 부 비겁하게
1570	**kinship**	명 친족 관계, 유사성
1571	**selfishness**	명 이기적임, 제멋대로임
1572	**futuristic**	혱 초현대적인, 미래의
1573	**suspend**	동 매달다, 걸다, 보류하다
1574	**fanatic**	명 광신자
1575	**venture**	명 모험; 동 과감히 해보다
1576	**velocity**	명 속도

1577	**gnarled**	형 울퉁불퉁하고 비틀린
1578	**magnanimous**	형 너그러운
1579	**flush**	동 상기되다; 명 홍조
1580	**consequential**	형 중대한, ~에 따른
1581	**invigorating**	형 상쾌한, 격려하는
1582	**perennial**	형 계속 반복되는
1583	**disband**	동 해체하다, 해산하다
1584	**covet**	동 탐내다, 갈망하다
1585	**summon**	동 소환하다, 소집하다
1586	**glucose**	명 포도당
1587	**opaque**	형 불투명한, 불분명한
1588	**scanty**	형 얼마 안 되는, 빈약한
1589	**in place**	가동 준비가 된
1590	**be assigned to**	~에게 할당되다
1591	**walk out**	작업을 중단하다
1592	**spell out**	자세히 설명하다, 판독하다
1593	**hang about with**	~와 자주 어울리다
1594	**in general terms**	대체적으로
1595	**have in mind**	염두에 두다, 계획하다
1596	**aside from**	~ 이외에
1597	**take by surprise**	~를 깜짝 놀라게 하다
1598	**be sensitive to**	~에 민감한, (계절 등을) 타다
1599	**speak up**	강력히 변호하다
1600	**be up to one's**	~에 몰두하다

DAY 21

🌸 최빈출 단어

1601	**perhaps**	부 아마
1602	**detect**	동 감지하다
1603	**privilege**	명 특권, 특혜; 동 특권을 주다
1604	**exploit**	동 이용하다, 착취하다 명 위업, 공적
1605	**evaluate**	동 평가하다, 검토하다
1606	**inevitably**	부 필연적으로, 불가피하게
1607	**ecosystem**	명 생태계
1608	**architecture**	명 건축물, 건축
1609	**preparation**	명 준비, 대비
1610	**overlook**	동 간과하다, 눈 감아 주다 동 내려다보다
1611	**slightly**	부 약간, 조금

🌸 빈출 단어

1612	**admission**	명 입장, 가입, 입학 명 (잘못에 대한) 시인, 인정
1613	**hemisphere**	명 반구
1614	**prehistoric**	형 선사 시대의
1615	**automatically**	부 자동으로

1616	**integral**	형 필수적인 형 (필요한 모든 부분이 갖춰져) 완전한
1617	**narrative**	명 이야기, 설화 형 이야기체의, 설화의
1618	**seize**	동 압수하다, ~을 빼앗다 동 장악하다, 점유하다 동 이해하다, 납득하다
1619	**fallacy**	명 오류, 틀린 생각
1620	**withdraw**	동 철수하다, 회수하다 동 (돈을) 인출하다
1621	**groom**	동 손질하다, 다듬다; 명 신랑, 마부
1622	**statesperson**	명 정치인
1623	**ratify**	동 (조약 등을) 비준하다, 승인하다
1624	**cuisine**	명 요리, 음식
1625	**construe**	동 이해하다, 해석하다
1626	**standing**	명 지위, 신분
1627	**ransack**	동 샅샅이 뒤지다 동 약탈하다, 빼앗다
1628	**confidential**	형 기밀의; 신용 있는, 믿을만한

🍀 빈출 숙어

1629	**as a result (of)**	그 결과, 결과적으로
1630	**be subject to**	~의 대상이다
1631	**specialize in**	~을 전문으로 하다, 전공하다
1632	**get over**	~을 극복하다
1633	**be engaged in**	~에 관여되다, 연루되다
1634	**look out**	조심하다; 바라보다

🏵 완성 어휘

1635	**abdomen**	몡 복부
1636	**threshold**	몡 한계점, 기준점
1637	**recess**	몡 휴식 기간
1638	**blatantly**	恩 주제넘게, 뻔뻔스럽게
1639	**proxy**	몡 대리인, 대용물; 휑 대리의
1640	**mitigating**	휑 완화하는, 가볍게 하는
1641	**opportune**	휑 적절한
1642	**massacre**	몡 대학살
1643	**sarcastic**	휑 비꼬는, 풍자적인
1644	**scour**	동 샅샅이 뒤지다
1645	**unprincipled**	휑 지조 없는, 부도덕한
1646	**advisable**	휑 바람직한
1647	**drowsy**	휑 졸리는
1648	**knack**	몡 재주
1649	**prudence**	몡 신중함, 알뜰함, 간소
1650	**grapple**	동 붙잡다, 잡다, 격투하다
1651	**firsthand**	恩 직접
1652	**ephemeral**	휑 수명이 짧은
1653	**verge**	몡 길가
1654	**refract**	동 굴절시키다
1655	**optical**	휑 시각적인
1656	**underway**	휑 진행 중인

1657	**detergent**	명 세제
1658	**momentous**	형 중대한
1659	**subsequent**	형 그다음의
1660	**imperturbable**	형 차분한
1661	**mutable**	형 잘 변하는
1662	**foolproof**	형 실패할 염려가 없는
1663	**abstruse**	형 난해한
1664	**swamp**	명 습지
1665	**hospitality**	명 환대, 접대
1666	**ironic**	형 역설적인, 비꼬는
1667	**under the weather**	몸이 좋지 않은
1668	**over and above**	~에 덧붙여, ~ 위에
1669	**shut off**	차단하다
1670	**in proportion to**	~에 비례하여
1671	**hear out**	(이야기를) 끝까지 듣다
1672	**go with**	~에 포함되다
1673	**wind up**	마무리 짓다
1674	**have a minute**	시간이 나다
1675	**in matters of**	~에 관해서는
1676	**bottom out**	바닥을 치다
1677	**have yet to**	아직 ~하지 않았다
1678	**a drop in**	~의 하락
1679	**throw in**	~을 덤으로 주다
1680	**be the first to**	솔선하여 ~하다

DAY 22

🍀 최빈출 단어

1681	**replace**	통 대체하다, 대신하다
1682	**minister**	명 장관, 각료; 성직자, 목사
1683	**absorb**	통 흡수하다
1684	**encounter**	통 직면하다, 맞닥뜨리다 명 만남, 조우
1685	**perspective**	명 관점, 시각, 전망 명 원근법, 투시법
1686	**strive**	통 노력하다, 애쓰다
1687	**realistic**	형 현실적인
1688	**abundant**	형 풍부한
1689	**alert**	형 경계하는, 조심하는 명 경계, 경보
1690	**output**	명 생산량, 산출량, 출력

🍀 빈출 단어

1691	**ambiguous**	형 모호한, 애매한
1692	**shed**	통 (허물 등을) 벗다 통 (피·눈물 등을) 흘리다, 발산하다 명 허물
1693	**voyage**	명 항해, 여행 통 항해하다, 여행하다
1694	**readily**	부 손쉽게, 순조롭게; 선뜻, 기꺼이

1695	**conviction**	몡 신념, 확신; 유죄 판결
1696	**luxurious**	휑 호화로운, 사치스러운
1697	**plummet**	동 급락하다, 폭락하다 몡 급락, 폭락
1698	**hierarchy**	몡 계층, 계급; (사상 등의) 체계
1699	**wholly**	튄 전적으로, 완전히
1700	**maze**	몡 미로
1701	**linger**	동 남아 있다, 계속되다 동 오래 머물다
1702	**prestige**	몡 위신, 명망 휑 위신 있는, 명망 있는
1703	**rebuild**	동 재건하다, 다시 세우다
1704	**intricate**	휑 복잡한, 뒤얽힌
1705	**encompass**	동 포함하다, 아우르다
1706	**punctual**	휑 (시간을) 지키는, 엄수하는
1707	**contradictory**	휑 모순된, 상반된
1708	**reputable**	휑 평판이 좋은, 이름 높은

🍀 빈출 숙어

1709	**be made of**	~으로 만들어지다
1710	**go on**	계속 진행되다, 계속하다
1711	**be concerned with**	~에 관련이 있다; ~에 관심이 있다
1712	**pay ~ back**	~에게 (돈을) 갚다
1713	**in detail**	자세히, 상세히
1714	**not to mention**	~은 말할 것도 없고

🍀 완성 어휘

1715	**falsehood**	몡 거짓말
1716	**hail**	몡 우박; 동 맞이하다
1717	**throne**	몡 왕좌
1718	**telescope**	몡 망원경
1719	**zealous**	혱 열성적인
1720	**reckon**	동 (~이라고) 생각하다
1721	**exceptive**	혱 예외적인
1722	**mounting**	혱 증가하는
1723	**windfall**	몡 (우발적인) 소득, 낙과
1724	**contentious**	혱 논쟁을 초래하는
1725	**imprudent**	혱 경솔한, 무분별한
1726	**reimburse**	동 배상하다, 변제하다
1727	**calamity**	몡 재난, 재앙
1728	**weasel**	동 회피하다; 몡 교활한 사람
1729	**monsoon**	몡 우기
1730	**afloat**	혱 (물에) 뜬
1731	**dysfunction**	몡 기능 장애
1732	**landholding**	몡 소유하고 있는 토지
1733	**transparency**	몡 투명(성), 명백함
1734	**incensed**	혱 몹시 화난, 격분한
1735	**easygoing**	혱 태평한, 느긋한
1736	**fiscal**	혱 재정상의

1737	**pathetic**	혱 애처로운
1738	**viable**	혱 실행 가능한
1739	**shelve**	동 보류하다
1740	**overland**	혱 육로의
1741	**unrelenting**	혱 끊임없는
1742	**brag**	동 자랑하다; 명 자랑
1743	**foremost**	혱 가장 중요한
1744	**bodiless**	혱 실체가 없는
1745	**antidote**	명 해독제
1746	**salvage**	명 구조, 인양
1747	**antagonistic**	혱 적대적인
1748	**cutback**	명 삭감, 감축
1749	**outspoken**	혱 노골적으로 말하는
1750	**play down**	경시하다
1751	**at one's discretion**	재량에 따라
1752	**fritter away**	낭비하다
1753	**as to**	~에 관해서는
1754	**make a case for**	~이라고 주장하다, 의견을 진술하다
1755	**factor in**	~을 고려하다
1756	**range from A to B**	A에서 B까지 이르다
1757	**step down**	(지위에서) 물러나다
1758	**destined to**	~할 운명인
1759	**in some way**	어떤 점에서는
1760	**sort out**	해결하다, 정리하다

DAY 23

🍀 최빈출 단어

1761	**feed**	동 공급하다, 먹이다; 명 먹이
1762	**expansion**	명 확대, 발전
1763	**alter**	동 바꾸다, 변경하다, 달라지다 동 쇠약해지다, 늙다
1764	**frustrated**	형 좌절감을 느끼는, 실망한
1765	**reference**	명 참고 문헌, 참조 명 문의, 조회; 추천서
1766	**passive**	형 수동적인, 소극적인
1767	**distort**	동 (사실 등을) 왜곡하다
1768	**philosophical**	형 철학적인, 철학의
1769	**patent**	명 특허; 동 특허를 얻다
1770	**abstract**	형 추상적인, 관념적인; 명 추상화

🍀 빈출 단어

1771	**tangible**	형 실체가 있는, 만질 수 있는 형 분명한, 명백한
1772	**solitary**	형 단일의, 혼자 하는; 고독한
1773	**flip**	동 젖혀지다, (책장 등을) 획획 넘기다 동 (손가락으로) 튕기다, 탁 치다
1774	**caregiver**	명 돌보는 사람, 간병인
1775	**introvert**	명 내성적인 사람; 형 내성적인

1776	**drift**	통 떠다니다, 표류하다 통 ~하게 되다
1777	**namely**	부 즉, 다시 말해
1778	**imaginative**	형 상상으로 만든, 가공의 형 상상력이 풍부한
1779	**enclose**	통 동봉하다; 에워싸다, 둘러싸다
1780	**constructive**	형 건설적인
1781	**preventive**	형 예방을 위한, 예방의
1782	**decode**	통 (의미를) 이해하다, 해독하다
1783	**countenance**	통 지지하다, 동의하다 명 (얼굴) 표정
1784	**punctuate**	통 중단시키다, 구두점을 찍다 통 강조하다
1785	**hazardous**	형 위험한
1786	**reclaim**	통 되찾다; 개간하다, 개척하다
1787	**accentuate**	통 강조하다
1788	**reiterate**	통 (요구·발언 따위를) 반복하다 형 반복되는

🍀 빈출 숙어

1789	**derive from**	~으로부터 비롯되다, ~에서 얻다
1790	**set off**	유발하다, 일으키다
1791	**be inclined to**	~하는 경향이 있다
1792	**go over**	검토하다, 조사하다; ~을 넘다
1793	**lay down**	~에 놓다, 두다; (규칙을) 정하다
1794	**make progress**	나아가다, 진전을 보이다

🍀 완성 어휘

1795	**matchless**	형	독보적인
1796	**thwart**	동	좌절시키다
1797	**reconciliation**	명	화해, 조정, 조화, 일치
1798	**inanimately**	부	생명이 없이
1799	**renounce**	동	단념하다, 포기하다
1800	**worn-out**	형	닳아서 해진, 헌, 녹초가 된
1801	**herald**	동	예고하다, 알리다, 발표하다
1802	**allay**	동	가라앉히다, 진정시키다
1803	**mousy**	형	소심한
1804	**harden**	동	경화되다, 단호해지다
1805	**cadence**	명	(말소리의) 억양
1806	**multicellular**	형	다세포의
1807	**airborne**	형	공수의, 공기로 운반되는
1808	**elevation**	명	승격
1809	**lateral**	형	측면의, 옆의
1810	**endanger**	동	위태롭게 하다
1811	**recapitulate**	동	요약하다, 반복하다
1812	**animosity**	명	적대감, 증오
1813	**troublesome**	형	성가신, 귀찮은
1814	**vocational**	형	직업과 관련된
1815	**impartial**	형	공정한
1816	**profusion**	명	풍성함, 다량

1817	**verdict**	몡 판결, 결정
1818	**egregious**	혱 악명 높은, 지독한
1819	**arid**	혱 무미건조한
1820	**solidify**	툉 굳어지다, 확고해지다
1821	**antipathy**	몡 (강한) 반감
1822	**avaricious**	혱 탐욕스러운
1823	**decry**	툉 매도하다
1824	**delicacy**	몡 정교함, 섬세함
1825	**overdose**	몡 과다 복용
1826	**pollination**	몡 (식물의) 수분
1827	**cordiality**	몡 진심, 성의
1828	**be taken in**	속아 넘어가다
1829	**make light of**	~을 가볍게 여기다
1830	**in the red**	적자 상태로, 적자로
1831	**be capable of**	~할 수 있다
1832	**be on edge**	신경이 곤두서 있다
1833	**lean into**	(어려운 것을) 받아들이다
1834	**infringe on**	~을 침해하다
1835	**settle into**	자리 잡다
1836	**ups and downs**	기복, 성쇠
1837	**hollow out**	~의 속을 파내다
1838	**set about**	~에 착수하다
1839	**incompatible with**	~과 양립할 수 없는
1840	**keep one's chin up**	용기를 잃지 않다

DAY 24

최빈출 단어

1841	**drop**	통 떨어지다; 내려주다, 그만두다
1842	**guarantee**	통 보장하다, 확신하다 명 보증, 확약
1843	**regard**	통 ~으로 여기다; 명 관심, 고려
1844	**undergo**	통 (변화 등을) 겪다; 견디다, 참다
1845	**annual**	형 연간의, 연례의
1846	**compromise**	명 타협; 통 타협하다 통 위태롭게 하다, 손상하다
1847	**retail**	형 소매의, 소매상의 통 소매하다, 떼어 팔다
1848	**tension**	명 긴장, 갈등; 팽팽함, 장력
1849	**prevalent**	형 널리 퍼진, 일반적인 형 우세한, 유력한
1850	**approve**	통 승인하다; 찬성하다
1851	**hypothesis**	명 가설, 추정, 추측

빈출 단어

1852	**charity**	명 자선 단체
1853	**aggravate**	통 악화시키다
1854	**absence**	명 부재, 결석; 결핍
1855	**replicate**	통 복제하다, 모사하다
1856	**remedy**	명 치료 방안, 해결책; 통 치료하다

1857	**portray**	동 묘사하다, 그리다, 나타내다 동 (특정한 역할을) 연기하다
1858	**deficit**	명 적자, 결손, 불리한 처지, 열세
1859	**propel**	동 나아가게 하다, 추진하다
1860	**repercussion**	명 (보통 좋지 못한) 영향, 여파
1861	**abnormality**	명 이상, 기형
1862	**disconnected**	형 분리된, (연락이) 끊긴 형 일관성이 없는
1863	**compass**	명 나침반; (도달 가능한) 범위
1864	**rebuke**	동 비난하다; 명 비난
1865	**brilliance**	명 총명함, 탁월함; 광명, 광채
1866	**curtail**	동 줄이다, (비용을) 삭감하다 동 (권리 따위를) 박탈하다
1867	**meager**	형 불충분한, 빈약한; 메마른
1868	**potable**	형 마셔도 되는

🌸 빈출 숙어

1869	**in addition to**	~ 이외에도; ~에 더하여
1870	**look forward to**	~을 기대하다
1871	**as a whole**	전체적으로, 전체로서
1872	**take a good rest**	충분히 쉬다
1873	**in combination with**	~과 결합하여, 짝지어
1874	**break into**	침입하다, 몰래 잠입하다

🍀 완성 어휘

1875	**immunization**	몡 예방 접종, 면역 조치, 면역
1876	**transverse**	혱 가로지르는
1877	**timber**	몡 목재, 재목, 수목
1878	**torch**	몡 손전등; 동 방화하다
1879	**culmination**	몡 정점, 최고조
1880	**inclusive**	혱 포괄적인, 폭넓은
1881	**repudiate**	동 거부하다
1882	**apparatus**	몡 기구, 장치
1883	**outgrow**	동 벗어나다, (몸이 커져) 옷 등이 맞지 않다
1884	**annul**	동 (법적으로) 취소하다, 무효화하다
1885	**self-contradictory**	혱 자기 모순적인
1886	**upkeep**	몡 유지, 양육
1887	**obediently**	붸 공손하게
1888	**amenity**	몡 생활 편의 시설
1889	**elongate**	동 길어지다, 길게 늘이다
1890	**disciplinary**	혱 징계의, 훈계의
1891	**reassuring**	혱 안심시키는
1892	**periodically**	붸 정기적으로
1893	**rescind**	동 철회하다, 폐지하다
1894	**disrespect**	몡 무례; 동 실례를 하다
1895	**endow**	동 기부하다
1896	**idiosyncratic**	혱 특유의, 기이한

1897	**patrol**	동	순찰을 돌다
1898	**yearn**	동	갈망하다, 동경하다
1899	**bombard**	동	퍼붓다, 쏟아붓다
1900	**hereditary**	형	유전적인, 세습되는
1901	**vigilant**	형	바짝 경계하는
1902	**enlist**	동	요청하여 얻다
1903	**forfeit**	동	박탈당하다
1904	**surmount**	동	극복하다
1905	**impotent**	형	무력한
1906	**recant**	동	철회하다
1907	**henceforth**	부	이후로
1908	**veterinarian**	명	수의사
1909	**grotesquely**	부	기괴하게
1910	**retraction**	명	철회
1911	**horizontally**	부	수평으로
1912	**solvable**	형	해결할 수 있는
1913	**culminate in**		결국 ~이 되다
1914	**be composed of**		~으로 구성되어 있다
1915	**in time**		이윽고
1916	**leave behind**		두고 가다
1917	**laced with**		~이 가미된
1918	**think of A as B**		A를 B로 생각하다
1919	**stand for**		~을 대표하다
1920	**look back on**		~을 뒤돌아보다

DAY 25

🍀 최빈출 단어

1921	**disaster**	명 재해, 재난
1922	**mobile**	형 이동식의, 기동성 있는
1923	**sustain**	동 유지하다, 지탱하다
1924	**succeed**	동 성공하다 동 (자리·지위 등을) 잇다, 계승하다
1925	**immune**	형 면역의, 면역이 된
1926	**confidence**	명 자신감; 신뢰, 확신
1927	**barrier**	명 장벽, 장애물
1928	**proceed**	동 진행되다, 나아가다
1929	**pregnant**	형 임신한
1930	**reserved**	형 내성적인; 예약한, 대절한 형 보류한, 따로 떼어둔, 예비의
1931	**suppress**	동 억제하다, 억누르다

🍀 빈출 단어

1932	**complement**	동 보완하다, 덧붙이다 명 보완물, 보충물
1933	**cooperative**	형 협력하는, 협동하는
1934	**contingent**	형 ~에 달린, ~에 의존하는 명 대표단, 파견대
1935	**reciprocal**	형 상호적인, 상호 간의

1936	**impudent**	형 무례한, 뻔뻔스러운
1937	**impede**	동 방해하다, 지연시키다
1938	**portable**	형 휴대용의
1939	**validate**	동 입증하다; 인증하다, 승인하다
1940	**format**	명 형식, 방식
1941	**puberty**	명 사춘기
1942	**formidable**	형 어마어마한, 가공할 만한
1943	**timely**	형 시기적절한, 때맞춘
1944	**conscience**	명 양심
1945	**mighty**	형 강력한
1946	**stumble**	동 (발이 걸려) 휘청거리다 동 우연히 발견하다
1947	**approximation**	명 근삿값
1948	**retaliate**	동 보복하다, 앙갚음하다

🏵️ 빈출 숙어

1949	**take place**	개최되다, 열리다
1950	**regardless of**	~과 상관없이
1951	**contrary to**	~과 반대로
1952	**take advantage of**	~을 이용하다
1953	**spring up**	갑자기 생기다, 나타나다
1954	**on the move**	이리저리 이동하는, 분주한

✿ 완성 어휘

1955	**unrest**	명 (사회·정치적인) 불안
1956	**rally**	명 집회
1957	**deforestation**	명 삼림 벌채, 삼림 파괴
1958	**menace**	동 위협하다; 명 위협
1959	**recollection**	명 기억
1960	**rudimentary**	형 기초의, 기본적인
1961	**debacle**	명 대실패
1962	**asymmetrical**	형 비대칭의
1963	**excurse**	동 거닐다, 소풍을 가다
1964	**muffle**	동 감싸다
1965	**self-deception**	명 자기기만
1966	**inaction**	명 휴지 상태
1967	**rail**	동 격분하다
1968	**assuage**	동 누그러뜨리다, 완화하다
1969	**archetypal**	형 전형적인
1970	**empirical**	형 실증적인
1971	**logicality**	명 논리성, 논리적 타당성
1972	**impugnment**	명 비난, 공격
1973	**prolix**	형 장황한
1974	**unwilling**	형 꺼리는
1975	**pavement**	명 인도, 보도
1976	**annihilation**	명 전멸, 소멸

1977	**ferment**	동 발효되다, 발효시키다
1978	**deafen**	동 귀를 먹먹하게 하다
1979	**accomplice**	명 공범
1980	**editorial**	형 편집의; 명 사설
1981	**elastic**	형 탄성의, 융통성 있는
1982	**constancy**	명 불변성, 절개
1983	**arduous**	형 몹시 힘든, 고된
1984	**rightful**	형 정당한
1985	**dodge**	동 회피하다
1986	**lap**	명 한 바퀴; 동 찰싹 치다
1987	**wrecked**	형 난파된, 망가진
1988	**hesitantly**	부 주저하며
1989	**pasture**	명 초원, 목초지
1990	**exactness**	명 정확함
1991	**amount to**	~에 이르다
1992	**in tandem with**	나란히
1993	**be up and about**	상태가 호전되다
1994	**make it on time**	제시간에 가다
1995	**leave off**	중단하다, 멈추다
1996	**no later than**	늦어도 ~까지는
1997	**get across**	이해시키다
1998	**tear away from**	~에서 무리하게 떼어 놓다
1999	**at one's disposal**	~의 마음대로, ~의 처분 하에
2000	**from scratch**	처음부터

DAY 26

❀ 최빈출 단어

2001	**contribute**	통 ~에 기여하다, 공헌하다 통 원인이 되다
2002	**station**	통 배치하다, 주둔시키다 명 역, 정거장
2003	**universal**	형 보편적인, 전 세계적인
2004	**candidate**	명 후보자
2005	**primitive**	형 원시적인, 초기의
2006	**self-esteem**	명 자존감, 자부심
2007	**modify**	통 변형하다, 수정하다
2008	**inflation**	명 물가 상승, 통화 팽창; 팽창, 부풂
2009	**comprehensive**	형 종합적인, 포괄적인 형 이해하는, 이해력 있는
2010	**advancement**	명 발전, 진보; 승진, 출세

❀ 빈출 단어

2011	**adverse**	형 부정적인, 불리한; 반대의
2012	**reckless**	형 무모한
2013	**magnificent**	형 웅장한, 장엄한; 대단한, 위대한
2014	**disabled**	형 장애를 가진
2015	**donate**	통 기부하다, 기증하다

2016	**mediocre**	형 보통의, 평범한
2017	**empathy**	명 공감, 감정 이입
2018	**radical**	형 급진적인, 과격한; 근본적인
2019	**gear**	명 장비, 복장 동 준비하다, 갖추다
2020	**glare**	동 노려보다, 쏘아보다 명 환한 빛, 섬광
2021	**peculiar**	형 독특한, 기이한
2022	**compile**	동 (여러 자료를) 엮다, 편집하다 동 작성되다, 기록하다
2023	**retrieve**	동 되찾아오다, 회수하다
2024	**harbinger**	명 전조, 조짐
2025	**merge**	동 합치다, 통합하다
2026	**definitive**	형 확정적인, 최종적인
2027	**invalid**	형 무효한
2028	**speedy**	형 빠른, 지체 없는

🍀 빈출 숙어

2029	**instead of**	~대신에
2030	**all over**	도처에서
2031	**refrain from**	~을 삼가다, 자제하다
2032	**integrate into**	~에 통합되다
2033	**shut down**	멈추다, 정지하다; 문을 닫다
2034	**lay out**	~을 제시하다 ~을 펼치다, 배치하다

✿ 완성 어휘

2035	**dehydration**	명 탈수, 탈수증
2036	**rebut**	동 논박하다
2037	**render**	동 (어떤 상태가 되게) 만들다
2038	**toddler**	명 갓난아기
2039	**stifle**	동 억누르다
2040	**concretize**	동 구체화하다
2041	**inconclusive**	형 결론에 이르지 못하는
2042	**sagacious**	형 현명한, 영리한
2043	**augmentative**	형 증가하는, 증대하는
2044	**apathetic**	형 무관심한, 심드렁한
2045	**accountability**	명 책임, 의무
2046	**self-disciplined**	형 자기 훈련이 된
2047	**assent**	명 찬성; 동 찬성하다
2048	**outcast**	명 버림받은 사람
2049	**remission**	명 차도, 완화
2050	**eviction**	명 퇴거, 축출
2051	**enchanted**	형 매혹된
2052	**masculine**	형 남성의
2053	**blithe**	형 태평스러운, 느긋한
2054	**rookie**	명 신참, 초보자
2055	**frigid**	형 몹시 추운, 냉랭한
2056	**insipidness**	명 무미건조함, 재미없음

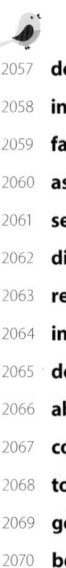

2057	**decadence**	명 타락, 퇴폐
2058	**indolence**	명 게으름, 나태
2059	**fallacious**	형 잘못된, 틀린
2060	**assiduous**	형 근면한, 끈기 있는
2061	**seductive**	형 유혹하는
2062	**discord**	명 불화, 다툼
2063	**refined**	형 정제된
2064	**inept**	형 서투른, 솜씨 없는
2065	**dope**	명 약물; 동 약을 투여하다
2066	**abjure**	동 포기하다, 철회하다
2067	**come under fire**	비난을 받다, 빈축을 사다
2068	**touch off**	촉발하다
2069	**go along with**	~에 동의하다
2070	**be beset by**	~으로 곤란을 겪다
2071	**be in a flap about**	~에 대해 동요하다
2072	**supply chain**	공급망
2073	**walk on air**	매우 기쁘다
2074	**put out**	~를 내쫓다, 해고하다
2075	**shy of**	~이 모자란, 부족한
2076	**leer at**	~을 힐끔거리다
2077	**plow into**	(일 등에) 달려들다
2078	**turn over (to)**	~에게 넘기다, 맡기다
2079	**yearn for**	~을 갈망하다, 동경하다
2080	**go into business**	사업에 나서다

DAY 27

🍀 최빈출 단어

2081	**concentrate**	동 집중하다; 모으다
2082	**evolve**	동 진화하다, 발달하다
2083	**demonstrate**	동 보여주다, 증명하다; 시위하다
2084	**obstacle**	명 장애물, 방해물
2085	**cognitive**	형 인지의, 인식에 의한
2086	**capability**	명 능력, 역량
2087	**recipient**	명 수취인, 수혜자
2088	**reluctant**	형 주저하는, 달갑지 않은
2089	**equivalent**	명 같은 것, 등가물 형 동일한, 동등한

🍀 빈출 단어

2090	**undermine**	동 기반을 약화시키다, 손상시키다
2091	**discern**	동 파악하다, 분간하다
2092	**intimate**	형 친밀한, 사적인 형 정통한, 조예가 깊은; 상세한
2093	**incur**	동 초래하다, 발생시키다
2094	**scheme**	명 제도, 계획; 계략, 책략
2095	**affection**	명 애정, 애착
2096	**faithful**	형 충실한, 충직한

2097	**hinder**	동 방해하다, 저지하다
2098	**implant**	동 이식하다, 심다 명 이식, (심는) 물질
2099	**contradict**	동 모순되다; (어떤 주장을) 반박하다
2100	**restrain**	동 억제하다, 제지하다
2101	**contempt**	명 무시, 개의치 않음; 경멸, 멸시
2102	**spontaneous**	형 자발적인, 마음에서 우러난 형 즉흥적인
2103	**staple**	형 주된, 주요한; 명 주요 산물
2104	**renovation**	명 보수, 수리
2105	**intrinsic**	형 본질적인, 고유한
2106	**aspire**	동 열망하다, 염원하다
2107	**intimidating**	형 위협적인
2108	**requisite**	형 필수적인; 명 필수 조건

🍀 빈출 숙어

2109	**at the same time**	동시에, 함께
2110	**in favor of**	~에 찬성하여, 지지하여
2111	**a couple of**	두세 개의, 몇 개의
2112	**come across**	우연히 만나다
2113	**get along with**	~와 잘 지내다
2114	**line up**	줄을 서다

🍀 완성 어휘

2115	**admittedly**	🔤 인정하건대
2116	**multiplication**	명 증식, 증가, 곱셈
2117	**inconsiderately**	부 경솔하게
2118	**conciliatory**	형 회유적인, 달래는
2119	**miscarriage**	명 유산
2120	**demographic**	형 인구 통계의
2121	**decipher**	동 판독하다, 이해하다
2122	**expulsion**	명 추방, 제명
2123	**nosy**	형 참견하기 좋아하는
2124	**coherent**	형 일관성 있는
2125	**satirical**	형 풍자적인
2126	**armored**	형 갑옷을 입은
2127	**endearment**	명 애정을 담은 말
2128	**masterwork**	명 걸작, 명품
2129	**snore**	동 코를 골다
2130	**sanity**	명 온전한 정신, 분별력
2131	**vex**	동 성가시게 하다
2132	**polling**	명 여론조사, 투표
2133	**garment**	명 의복, 옷
2134	**pier**	명 부두
2135	**abolish**	동 폐지하다
2136	**perpetuity**	명 영속, 불멸

2137	**akin**	형 ~과 유사한
2138	**wilderness**	명 황무지
2139	**skim**	동 걷어 내다, 훑다
2140	**flare**	동 확 타오르다
2141	**fraction**	명 부분
2142	**mend**	동 고치다, 수리하다
2143	**solicit**	동 간청하다
2144	**catalyst**	명 촉매
2145	**sentient**	형 지각이 있는
2146	**credulous**	형 잘 믿는
2147	**dispersion**	명 확산, 분산
2148	**patronage**	명 후원
2149	**engulf**	동 휩싸다
2150	**treadmill**	명 러닝 머신
2151	**come in handy**	쓸모가 있다, 도움이 되다
2152	**at no charge**	무료로
2153	**make a face**	얼굴을 찌푸리다
2154	**win hands down**	쉽게 이기다
2155	**lend oneself to**	~에 도움이 되다, 적합하다
2156	**go awry**	실패하다
2157	**on track**	제대로 진행되고 있는
2158	**make it a rule to**	~하기로 정하다
2159	**leave out**	~을 빼다
2160	**pin one's faith on**	~을 굳게 믿다

DAY 28

🍀 최빈출 단어

2161	**ground**	몡 이유, 근거; 땅, 지면
2162	**largely**	閉 대체로, 주로; 대규모로
2163	**foundation**	몡 설립; 토대, 기초, 기반; 재단
2164	**recession**	몡 불경기, 불황; 후퇴, 물러남
2165	**resolve**	동 해결하다
2166	**prosperity**	몡 번영, 성공
2167	**mankind**	몡 인류
2168	**conscious**	혱 의식적인, 의식이 있는
2169	**dominate**	동 지배하다
2170	**register**	동 (정식으로) 등록하다, 기록하다 몡 기록, 등록부
2171	**comprise**	동 구성하다, 포함하다

🍀 빈출 단어

2172	**instinct**	몡 본능, 직감
2173	**disgust**	몡 역겨움, 혐오감 동 혐오감을 유발하다
2174	**sediment**	몡 침전물, 앙금
2175	**nocturnal**	혱 야행성의
2176	**dissolve**	동 용해되다, 녹이다; 해체시키다

2177	**denounce**	통 맹렬히 비난하다, 고발하다 통 파기하다, 종료를 통고하다
2178	**inspect**	통 점검하다, 검사하다
2179	**buoyant**	형 부력이 있는, (물에) 뜰 수 있는 형 경기가 좋은, 활황인
2180	**vigorous**	형 활발한, 격렬한
2181	**deposit**	통 예금하다; 침전하다, 침전시키다 명 예금, 보증금
2182	**delegate**	명 대표, 사절단 통 (권한을) 위임하다
2183	**corroborate**	통 확증하다, (증거나 정보를) 제공하다
2184	**barter**	통 물물교환하다
2185	**lapse**	명 경과; 통 쇠퇴하다
2186	**willpower**	명 의지력
2187	**affiliation**	명 소속, 가입; 명 제휴
2188	**cardinal**	형 기본적인, 아주 중요한 명 추기경

🍀 빈출 숙어

2189	**take on**	(일·책임을) 맡다, 지다 ~를 고용하다; 태우다, 싣다
2190	**make up for**	만회하다, 보충하다
2191	**take ~ for granted**	~을 당연히 여기다
2192	**let alone**	~은 고사하고, ~은 커녕
2193	**see eye to eye**	의견을 같이하다
2194	**give off**	(냄새·열·빛 등을) 내뿜다, 발산하다

🌸 완성 어휘

2195	**pinpoint**	동 딱 집어내다
2196	**indistinguishable**	형 구분하기 어려운
2197	**vain**	형 헛된, 소용없는
2198	**derivative**	형 파생된; 명 파생 상품
2199	**hindsight**	명 뒤늦은 깨달음
2200	**thrust**	동 밀다, 찌르다
2201	**declaim**	동 열변을 토하다
2202	**beguile**	동 (마음을) 끌다, 구슬리다
2203	**condescending**	형 거들먹거리는, 생색을 내는
2204	**explicate**	동 설명하다, 해명하다
2205	**slander**	동 중상모략하다; 명 모략, 비방
2206	**intention**	명 의도, 목적
2207	**perish**	동 소멸되다
2208	**pseudo**	형 허위의, 가짜의
2209	**intermittent**	형 간헐적인
2210	**metaphorical**	형 비유의
2211	**mindset**	명 사고방식
2212	**anguish**	명 괴로움
2213	**fortitude**	명 불굴의 용기
2214	**trickery**	명 속임수, 사기
2215	**vociferous**	형 소리 높여 표현하는
2216	**temporal**	형 시간의, 속세의

2217	**blizzard**	명 눈보라
2218	**covert**	형 비밀의, 은밀한
2219	**subsidiary**	형 부수적인
2220	**predate**	동 ~보다 앞서다
2221	**congestion**	명 혼잡
2222	**counterfeit**	형 위조의, 모조의
2223	**volatile**	형 휘발성의, 변덕스러운
2224	**discriminating**	형 안목 있는
2225	**fickle**	형 변덕스러운
2226	**crooked**	형 비뚤어진
2227	**outlive**	동 ~보다 더 오래 살다
2228	**humidity**	명 습도
2229	**payoff**	명 지불, 청산
2230	**bilateral**	형 쌍방의
2231	**put in mind**	상기시키다
2232	**deem to**	~으로 여기다, 생각하다
2233	**out of control**	통제 불능의
2234	**put one's feet up**	누워서 쉬다
2235	**lose sight of**	~을 잊다, 망각하다
2236	**out of reach**	힘이 미치지 않는 곳에
2237	**weigh down**	~을 짓누르다
2238	**call up**	~을 불러일으키다
2239	**come into play**	작동하기 시작하다
2240	**had better**	~하는 것이 좋다

DAY 29

🍀 최빈출 단어

2241	**access**	몡 접근, 입장 됭 접근하다, 접속하다
2242	**accumulate**	됭 축적하다, 모으다
2243	**ethical**	혱 윤리적인, 도덕적인
2244	**protest**	몡 항의, 반발 됭 항의하다, 반발하다
2245	**remarkable**	혱 놀랄 만한, 주목할 만한
2246	**adjust**	됭 조정하다, 조절하다; 적응하다
2247	**exceed**	됭 초과하다, 능가하다
2248	**organ**	몡 장기, 기관
2249	**confront**	됭 직면하다, 맞닥뜨리다 됭 상황 등에 맞서다
2250	**deadly**	혱 치명적인, 생명을 앗아가는
2251	**electrical**	혱 전자의, 전기를 사용하는

🍀 빈출 단어

2252	**debris**	몡 잔해, 파편
2253	**highlight**	됭 강조하다 몡 가장 흥미로운 부분
2254	**perpetual**	혱 끊임없는, 계속되는
2255	**addiction**	몡 중독

2256	**reproduce**	동 번식하다; 복제하다, 모조하다 동 재생하다, 재현하다
2257	**gradual**	형 점진적인
2258	**conspicuous**	형 뚜렷한, 눈에 띄는
2259	**detain**	동 구금하다, 억류하다; 지체하다
2260	**aerospace**	형 항공 우주의 명 항공 우주 산업
2261	**bewilder**	동 당황하게 하다
2262	**misfortune**	명 불운, 불행
2263	**shortly**	부 (~한지) 얼마 안 되어, 곧
2264	**reconstruct**	동 재건하다, 복원하다
2265	**desperate**	형 절박한, 필사적인
2266	**recurring**	형 반복되는, 되풀이되는
2267	**spurious**	형 거짓된, 위조의
2268	**clandestine**	형 비밀의, 은밀한

🌸 빈출 숙어

2269	**be interested in**	~에 관심이 있다
2270	**carry out**	수행하다, 이행하다
2271	**in an effort to**	~하기 위한 노력으로
2272	**rule out**	배제하다, 제외시키다
2273	**for good**	영원히
2274	**take a day off**	하루 쉬다

✿완성 어휘

2275	**transient**	형	일시적인, 순간적인
2276	**depraved**	형	타락한, 부패한
2277	**afflict**	동	피해를 입히다, 괴롭히다
2278	**lofty**	형	고귀한, 고결한
2279	**irascible**	형	화를 잘 내는
2280	**deduction**	명	공제, 추론
2281	**infallible**	형	확실한, 틀림없는
2282	**specious**	형	허울만 그럴듯한
2283	**laid-back**	형	느긋한, 태평스러운
2284	**swirl**	동	소용돌이치다
2285	**nag**	동	잔소리하다
2286	**sequel**	명	속편
2287	**profuse**	형	많은, 사치스러운
2288	**dissemble**	동	(감정·의도를) 숨기다
2289	**connive**	동	묵인하다
2290	**epochal**	형	획기적인
2291	**advisory**	형	조언하는, 자문의
2292	**plenitude**	명	풍부함, 완전함
2293	**thrilled**	형	신이 난, 흥분한
2294	**admonition**	명	책망, 경고
2295	**glorious**	형	영광스러운
2296	**personnel**	명	직원, 인사과

2297	**blush**	동 얼굴을 붉히다
2298	**methodically**	부 체계적으로
2299	**subsist**	동 근근이 살아가다
2300	**intelligible**	형 이해할 수 있는
2301	**grieve**	동 비통해하다
2302	**hectic**	형 정신없이 바쁜
2303	**voracious**	형 게걸스러운
2304	**forestall**	동 미연에 방지하다
2305	**salvation**	명 구원, 구조
2306	**stomp**	동 발을 구르다
2307	**humming**	명 콧노래
2308	**peacemaking**	명 조정, 중재
2309	**live on**	~으로 먹고 살다
2310	**be treated with**	치료를 받다
2311	**an array of**	~의 무리, 집합
2312	**be fond of**	~을 좋아하다
2313	**take measure**	조치를 취하다
2314	**go for**	~을 선택하다
2315	**slam into**	~에 쾅 하고 충돌하다
2316	**do a good turn**	남에게 친절하게 하다
2317	**be survived by**	~보다 먼저 죽다
2318	**parcel out**	(여러 부분으로) ~을 나누다
2319	**stand up to**	~에 맞서다
2320	**stick up for**	~를 변호하다, ~을 방어하다

DAY 30

🍀 최빈출 단어

2321	**convince**	동 설득하다, 확신시키다
2322	**disorder**	명 장애; 엉망, 어수선함
2323	**incident**	명 사건, 일
2324	**portion**	명 일부, 부분; 동 나누다, 분배하다
2325	**illegal**	형 불법적인
2326	**procedure**	명 과정, 절차
2327	**elaborate**	형 정교한, 섬세한; 화려한 동 자세히 설명하다
2328	**hostile**	형 적대적인
2329	**celebrity**	명 유명인
2330	**fragile**	형 깨지기 쉬운, 취약한

🍀 빈출 단어

2331	**ambivalent**	형 상반되는, 반대 감정이 엇갈리는 형 불확실한
2332	**trivial**	형 사소한, 하찮은
2333	**trail**	명 등산로, 오솔길 동 질질 끌다, 따라가다
2334	**exclusive**	형 독점적인, 전용의
2335	**revive**	동 활기를 되찾게 하다, 소생시키다

2336	**designate**	동 지정하다, 임명하다 동 명시하다, 나타내다
2337	**patience**	명 인내심, 참을성
2338	**recruit**	동 모집하다, (사람을) 뽑다 명 신병
2339	**humble**	형 겸손한; 보잘것없는, 초라한
2340	**affordable**	형 (가격이) 적당한, 알맞은
2341	**shield**	동 막다, 보호하다 명 방패, 보호막
2342	**shrewd**	형 기민한, 상황 판단이 빠른
2343	**lifelong**	형 일생의, 평생 동안의
2344	**aftermath**	명 여파
2345	**hospitable**	형 친절한; 쾌적한, 지내기 좋은
2346	**ripe**	형 익은, 숙성한
2347	**collateral**	명 담보물
2348	**elucidate**	동 설명하다, 해명하다

🍀 빈출 숙어

2349	**cope with**	대처하다
2350	**go[do] without**	~없이 지내다
2351	**take off**	이륙하다; (옷 등을) 벗다
2352	**get rid of**	~을 처리하다, 없애다
2353	**be far from**	전혀 ~이 아닌
2354	**long for**	열망하다, 갈망하다

🍀 완성 어휘

2355	**substandard**	혱 표준 이하의
2356	**sovereignty**	몡 자주권, 통치권
2357	**patronizing**	혱 거만한, 거드름 피우는
2358	**self-complacency**	몡 자아도취
2359	**markup**	몡 가격 인상
2360	**naughty**	혱 버릇없는
2361	**degenerate**	됭 악화되다, 퇴보하다
2362	**stark**	혱 황량한, 음산한, 극명한
2363	**side-by-side**	혱 나란히 있는
2364	**derogatory**	혱 경멸적인, 무례한
2365	**lax**	혱 허술한, 느슨한
2366	**prejudge**	됭 속단하다
2367	**serenity**	몡 고요함
2368	**rehabilitate**	됭 갱생시키다, 복구하다
2369	**refutation**	몡 반박, 논박
2370	**pique**	됭 화나게 하다, 화내다
2371	**expel**	됭 쫓아내다, 추방하다
2372	**middling**	혱 중간의, 중간급의
2373	**strangle**	됭 억압하다, 묵살하다
2374	**muddle**	됭 뒤죽박죽을 만들다
2375	**acclaim**	됭 칭찬하다
2376	**philanthropist**	몡 자선가

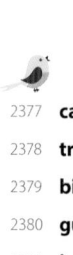

2377	cascade	동 폭포처럼 흐르다
2378	transfusion	명 수혈
2379	bid	명 입찰, 입찰가격
2380	gullible	형 잘 속아 넘어가는
2381	impenitent	형 부끄러워하지 않는
2382	abrupt	형 돌연한, 갑작스런
2383	pendulous	형 축 늘어져 대롱거리는
2384	incontrovertible	형 반박의 여지가 없는
2385	renewed	형 재개된, 새로워진
2386	ailment	명 질병
2387	idiomatic	형 관용구의
2388	make a fortune	재산을 모으다
2389	go green	친환경적이 되다
2390	weigh on	압박하다, 괴롭히다
2391	rush into	급하게 ~하다
2392	bear out	지지하다, 증명하다
2393	be in progress	진행 중이다
2394	take precedence	우선권을 얻다
2395	go under	파산하다, 가라앉다
2396	root for	~를 응원하다
2397	get ~ off the hook	곤경을 면하다
2398	get by	그럭저럭 해 나가다
2399	be in league with	~와 한통속인
2400	in the absence of	~이 없을 때에

DAY 31

🍀 최빈출 단어

2401	**project**	명 사업, 계획; 동 비추다, 투영하다 동 예상하다, 추정하다
2402	**emerge**	동 나타나다, 부상하다
2403	**profession**	명 직종, 직업
2404	**amendment**	명 수정 조항, 개정
2405	**legislation**	명 (제정된) 법안 명 법률 제정, 입법 행위
2406	**judicial**	형 사법의, 재판의
2407	**chronic**	형 만성의, 장기적인
2408	**profitable**	형 이익이 되는, 수익성이 있는
2409	**simultaneously**	부 동시에, 일제히
2410	**mitigate**	동 완화하다, 경감시키다

🍀 빈출 단어

2411	**counterpart**	명 대응하는 것, 상대
2412	**mandatory**	형 의무적인, 강제적인
2413	**dismiss**	동 해산시키다, 해고하다 동 묵살하다, 무시하다
2414	**starvation**	명 굶주림, 기아
2415	**futile**	형 소용없는, 헛된

2416	**refine**	통 정제하다, 제련하다 통 개선하다, 개량하다
2417	**allowance**	명 용돈
2418	**humility**	명 겸손
2419	**revenge**	명 복수, 보복; 통 복수하다
2420	**agenda**	명 의제, 안건
2421	**squander**	통 낭비하다, 허비하다
2422	**sturdy**	형 견고한, 확고한
2423	**oversight**	명 감독, 관리 명 (못 보고 지나쳐서 생긴) 실수, 간과
2424	**aloft**	부 공중에, (하늘) 높이
2425	**deleterious**	형 해로운, 유해한
2426	**pending**	형 미결인, 미정인; 임박한
2427	**subsidy**	명 보조금, 장려금
2428	**complacent**	형 자기 만족적인, 현실에 안주하는

🌸 빈출 숙어

2429	**work on**	~에 공을 들이다, 애쓰다
2430	**be open to**	~에 열린 마음을 가지다 ~에 개방되어 있다, ~의 여지가 있다
2431	**take down**	콧대를 꺾다; ~을 낮추다, 내리다
2432	**and the like**	~ 같은 것, 기타 등등
2433	**bottom line**	핵심, 요지; 순이익
2434	**at first glance**	언뜻 보기에는, 처음에는

🏵 완성 어휘

2435	**sincerity**	명 성실, 정직
2436	**professed**	형 공공연한, 공언된
2437	**deterrent**	명 제지; 형 제지하는
2438	**rationale**	명 이유, 근거
2439	**delusion**	명 망상, 착각
2440	**intrepid**	형 두려움을 모르는
2441	**propagate**	동 선전하다
2442	**revelation**	명 폭로
2443	**run-down**	형 황폐한
2444	**skittish**	형 변덕스러운, 겁이 많은
2445	**solitude**	명 고독
2446	**destitute**	동 빈곤한, 가난한
2447	**underscore**	동 강조하다, ~에 밑줄을 긋다
2448	**solicitude**	명 배려, 걱정
2449	**downplay**	동 경시하다
2450	**smack**	동 (손바닥으로) 때리다
2451	**boon**	명 혜택, 이익
2452	**fertilization**	명 비옥화, (생물의) 수정
2453	**omnivorous**	형 잡식성의
2454	**carnivore**	명 육식동물
2455	**contender**	명 경쟁자, 도전자
2456	**astute**	형 약삭빠른, 영악한

2457	**leniently**	툰 관대하게, 인자하게
2458	**pictorial**	형 그림의, 그림 같은
2459	**cede**	동 넘겨주나, 양도하나
2460	**delectable**	형 아주 맛있는
2461	**turbulence**	명 난기류
2462	**bygone**	형 지나간, 옛날의
2463	**adamant**	형 견고한, 단호한
2464	**solemn**	형 엄숙한, 진지한
2465	**supersede**	동 대체하다
2466	**feasibility**	명 실행 가능성
2467	**impassable**	형 지나갈 수 없는
2468	**penitence**	명 뉘우침, 참회
2469	**turn down**	~을 거절하다
2470	**iron out**	해결하다, 다림질하다
2471	**lose one's temper**	화를 내다
2472	**at loose ends**	하는 일 없이
2473	**lose track of**	~을 놓치다
2474	**come into force**	효력을 발생하다
2475	**meet the needs**	요구를 충족시키다
2476	**fool into**	속여서 ~하게 시키다
2477	**mark off**	구별하다
2478	**lift the ban on**	~에 대한 금지를 없애다
2479	**rip across**	둘로 자르다, 쪼개다
2480	**put ~ in one's shoes**	~의 입장에 처하게 하다

DAY 32

🍀 최빈출 단어

2481	**completely**	🔈 완전히, 철저히
2482	**facility**	🔈 시설, 기관
2483	**suspect**	🔈 의심하다 🔈 용의자, 요주의 인물
2484	**instrument**	🔈 악기; 기구, 도구
2485	**constitute**	🔈 구성하다, 이루다; 제정하다
2486	**satellite**	🔈 인공위성, 위성 🔈 인공위성의, 위성의
2487	**relevant**	🔈 관련 있는, 적절한
2488	**distract**	🔈 산만하게 하다
2489	**challenging**	🔈 힘든, 도전적인
2490	**solely**	🔈 오로지, 단독으로

🍀 빈출 단어

2491	**grab**	🔈 붙잡다, 움켜잡다; 관심을 끌다
2492	**endeavor**	🔈 시도, 노력 🔈 노력하다, 애쓰다
2493	**companion**	🔈 (마음이 맞는) 친구, 벗, 동반자
2494	**defect**	🔈 결함, 흠
2495	**ample**	🔈 충분한, 풍만한
2496	**council**	🔈 의회

2497	**stubborn**	형 고집이 센, 완고한; 다루기 힘든
2498	**altruism**	명 이타심, 이타주의
2499	**parallel**	형 평행한, 평행의; 동 유사하다 명 위도선
2500	**skeptical**	형 회의적인, 의심 많은 형 무신론자의
2501	**dissemination**	명 보급, 전파
2502	**reconcile**	동 중재하다, 화해시키다 동 받아들이다
2503	**devastation**	명 파괴, 황폐화
2504	**sporadic**	형 산발적인, 이따금 발생하는
2505	**damp**	형 습기 찬, 축축한
2506	**literacy**	명 (글을) 읽고 쓸 줄 아는 능력
2507	**confirmed**	형 (버릇 등이) 상습적인 형 확고한, 굳어진
2508	**agitate**	동 뒤흔들다, 휘젓다
2509	**supercilious**	형 거만한, 남을 얕보는

🏵 빈출 숙어

2510	**as opposed to**	~과는 반대로, ~과는 대조적으로
2511	**fall on**	~의 책임이다, ~에 해당하다
2512	**try out**	시험 삼아 사용해 보다
2513	**shore up**	강화하다, 떠받치다
2514	**fill up**	차다, 채우다

🌸 완성 어휘

2515	**monotony**	명 단조로움
2516	**subservient**	형 굴종하는
2517	**disobedient**	형 복종하지 않는, 반항하는
2518	**delude**	동 속이다
2519	**intractable**	형 고집 센, 다루기 힘든
2520	**ramification**	명 파문, (좋지 못한) 결과
2521	**bracket**	명 (소득의) 구분, 계층
2522	**fervor**	명 열의, 열정
2523	**tactful**	형 요령 있는
2524	**sermon**	명 설교
2525	**monument**	명 기념물, 기념비적인 것
2526	**soundly**	부 곤히, 깊이
2527	**plausible**	형 그럴듯한
2528	**authoritative**	형 권위 있는, 믿을 만한
2529	**exponential**	형 급격한, 기하급수적인
2530	**mischievous**	형 짓궂은, 해를 끼치는
2531	**slack**	형 느슨한, 느린
2532	**high-end**	형 고급의
2533	**dominion**	명 지배, 지배권, 영토
2534	**listless**	형 열의가 없는, 무기력한
2535	**interplay**	명 상호 작용
2536	**pigment**	명 색소, 안료

2537	**chromosome**	명 염색체
2538	**nonchalance**	명 태연함, 아랑곳하지 않음
2539	**acquit**	동 석방하다, 면제하다
2540	**coarse**	동 조악한, 조잡한
2541	**stagnate**	동 침체되다
2542	**grudge**	명 원한
2543	**collide**	동 충돌하다, 상충하다
2544	**adoptive**	형 입양으로 맺어진
2545	**laborious**	형 힘든
2546	**erudite**	형 학식 있는, 박식한
2547	**noteworthy**	형 주목할 만한, 현저한
2548	**imperil**	동 위태롭게 하다
2549	**penury**	명 가난, 궁핍
2550	**keep one's feet on the ground**	현실적이다
2551	**tender age**	(경험이 없는) 어린 나이
2552	**be intent on**	~에 열중하다
2553	**turn back**	되돌아오다, 되돌리다
2554	**be chained to**	~에 속박당하다, 묶이다
2555	**stay in shape**	건강을 유지하다
2556	**hold back**	억제하다, 막다
2557	**make believe**	~인 체하다, 믿게 만들다
2558	**think back to**	~을 회상하다
2559	**boast of**	~을 뽐내다

DAY 33

🍀 최빈출 단어

2561	**conduct**	통 실시하다, (특정한 활동을) 하다
2562	**satisfy**	통 충족시키다, 만족시키다
2563	**violence**	명 폭력, 폭행; 격렬함, 맹렬함
2564	**interfere**	통 개입하다, 간섭하다; 방해하다
2565	**prime**	형 주된, 주요한; 제1의, 최초의
2566	**neglect**	통 등한시하다, 무시하다 명 방치, 소홀
2567	**steadily**	부 꾸준히, 한결같이
2568	**cultivate**	통 재배하다, 경작하다 통 (재능 등을) 기르다, 함양하다
2569	**diminish**	통 떨어뜨리다, 줄어들다 통 약해지다, 약화시키다
2570	**deserve**	통 ~을 받을 자격이 있다

🍀 빈출 단어

2571	**surrender**	통 항복하다, 굴복하다 통 (권리 등을) 포기하다, 내주다
2572	**immense**	형 엄청난, 어마어마한 형 헤아릴 수 없는
2573	**reverse**	명 반대, 반전; 통 뒤집다, 뒤바꾸다 형 반대의, 뒤집힌
2574	**precise**	형 정확한, 정밀한

2575	**scramble**	동 애쓰다; 쟁탈하다 명 쟁탈, 쟁탈전
2576	**corruption**	명 부패
2577	**toil**	명 노력; 동 애쓰다, 열심히 일하다
2578	**amid**	전 (~하는) 가운데서, ~의 한복판에서
2579	**ignite**	동 ~에 불을 붙이다
2580	**undertaking**	명 (중요한) 일, 사업; 약속, 동의
2581	**obsess**	동 사로잡다, ~에 집착하게 하다
2582	**domesticate**	동 길들이다, 사육하다, 재배하다
2583	**disparage**	동 폄하하다, 헐뜯다
2584	**nutrient**	명 영양소
2585	**gratify**	동 기쁘게 하다
2586	**convoluted**	형 복잡한, 대단히 난해한 형 나선형의, 구불구불한
2587	**coincidence**	명 우연의 일치
2588	**burnout**	명 극도의 피로, 쇠진
2589	**imminent**	형 임박한, 목전의; 절박한

🌸 빈출 숙어

2590	**get up**	(앉거나 누워 있다가) 일어나다, 깨우다 (바다·바람이) 거세지다
2591	**by no means**	결코 ~이 아닌
2592	**be eager to**	간절히 ~하고 싶어 하다
2593	**at the expense of**	~의 희생으로, ~을 대가로
2594	**abide by**	준수하다, 지키다

🌸 완성 어휘

2595	**dictatorship**	몡 독재 정권
2596	**dormant**	혱 휴면기의, 활동을 멈춘
2597	**stake**	몡 이해관계, 지분
2598	**decisively**	閉 단호하게, 결정적으로
2599	**enduring**	혱 오래가는, 지속되는
2600	**bustle**	됨 바삐 움직이다
2601	**allege**	됨 혐의를 제기하다
2602	**statutory**	혱 법에 명시된, 법령에 의한
2603	**malice**	몡 악의
2604	**suppleness**	몡 유연함, 유순함
2605	**rebellion**	몡 반란, 반대
2606	**bask**	됨 (햇볕을) 쪼이다
2607	**obstruction**	몡 방해, 차단
2608	**misbehave**	됨 못되게 굴다
2609	**startle**	됨 깜짝 놀라게 하다
2610	**appalling**	혱 끔찍한
2611	**zenith**	몡 정점, 천장
2612	**pillar**	몡 기둥
2613	**compress**	됨 압축하다
2614	**drearily**	閉 황량하게, 쓸쓸히
2615	**hybrid**	몡 혼합물, 합성물
2616	**overcast**	혱 구름이 뒤덮인

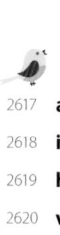

2617	**automation**	몡 자동화
2618	**infamous**	혱 악명 높은
2619	**homogeneous**	혱 동종의
2620	**villain**	몡 악당
2621	**unwarranted**	혱 부적절한
2622	**frost**	몡 서리
2623	**precedented**	혱 전례가 있는
2624	**impetuosity**	몡 격렬, 맹렬
2625	**photosynthesis**	몡 광합성
2626	**notwithstanding**	젼 ~에도 불구하고
2627	**unaffected**	혱 꾸밈없는, 자연스러운
2628	**shoplift**	동 가게 물건을 훔치다
2629	**incubate**	동 (알을) 품다, 배양하다
2630	**have the guts**	~할 용기가 있다
2631	**made of money**	아주 부자인
2632	**take one's toll**	피해를 주다, 타격을 주다
2633	**be adept at**	~에 능숙하다
2634	**set aside**	따로 떼어 두다
2635	**pass away**	사망하다
2636	**figure as**	~의 역할을 하다
2637	**a series of**	연속의, 일련의
2638	**let go of**	버리다, 포기하다
2639	**look the other way**	못 본 척하다
2640	**step into one's shoes**	~의 후임이 되다

DAY 34

🍀 최빈출 단어

2641	**intelligence**	몡 지능; 기밀, 정보요원
2642	**sophisticated**	혱 정교한, 복잡한 혱 세련된, 교양 있는
2643	**discipline**	몡 규율, 훈육
2644	**detective**	몡 형사
2645	**deliberate**	혱 의도적인, 고의의 혱 신중한, 사려 깊은 동 숙고하다, 심의하다
2646	**utility**	몡 (가스·수도 등의) 공공시설 몡 유용성, 효용
2647	**sanction**	몡 제재; 허가, 인가 동 허가하다, 인가하다
2648	**physiological**	혱 생리적인, 생리학의
2649	**province**	몡 지역, 지방; (학문 등의) 분야, 영역
2650	**literally**	뷔 문자 그대로 뷔 (강조하여) 완전히, 정말

🍀 빈출 단어

2651	**extension**	몡 연장, 확장
2652	**drain**	동 물을 빼다, 배수하다
2653	**sting**	몡 (곤충 따위의) 침, 찌르기 동 찌르다, 쏘다
2654	**imprison**	동 투옥하다; ~를 가두다, 감금하다

2655	**accomplishment**	몡 업적, 완수
2656	**ignorant**	혱 모르는, 무지한
2657	**fake**	혱 가짜의
2658	**passionate**	혱 열정적인
2659	**arguably**	뷔 거의 틀림없이, 주장하건대
2660	**antibiotic**	몡 항생제, 항생물질; 혱 항생의
2661	**submerge**	됭 (물속에) 잠기다, 담그다
2662	**tuition**	몡 등록금, 학비; 수업, 교습
2663	**entice**	됭 유인하다, 유혹하다
2664	**residue**	몡 잔여물, 잔류물
2665	**alternate**	됭 번갈아 나오게 하다, 대체하다 혱 번갈아 하는
2666	**state-of-the-art**	혱 최첨단의, 최신의
2667	**down-to-earth**	혱 현실적인, 세상 물정에 밝은
2668	**surreptitious**	혱 은밀한, 남몰래 슬쩍 하는 혱 부정한

🏵 빈출 숙어

2669	**take in**	흡수하다, 섭취하다; 속이다
2670	**go into**	~을 시작하다; ~을 논하다
2671	**be rooted in**	근거를 두다, ~에 원인이 있다
2672	**susceptible to**	~에 민감한, 취약한
2673	**preoccupied with**	~에 집착하는, ~에 사로잡혀 있는
2674	**be around**	존재하다, 부근에 있다

✿ 완성 어휘

2675	**diplomatic**	형 외교의
2676	**solidity**	명 견고함
2677	**impermissible**	형 용납할 수 없는
2678	**swarm**	명 무리, 떼; 동 떼를 짓다
2679	**cramp**	명 경련, 쥐; 동 방해하다
2680	**tenacity**	명 끈기, 고집
2681	**ardent**	형 열렬한
2682	**incinerate**	동 태우다, 소각하다
2683	**preclude**	동 못하게 하다
2684	**strident**	형 귀에 거슬리는
2685	**occupation**	명 직업
2686	**customize**	동 주문 제작하다
2687	**proactive**	형 (상황을) 앞서서 주도하는
2688	**benchmark**	명 기준
2689	**normality**	명 정상 상태
2690	**taint**	동 더럽히다
2691	**restless**	형 침착하지 못한, 불안한
2692	**industrious**	형 근면한
2693	**hue**	명 빛깔, 색조
2694	**hilarious**	형 아주 우스운
2695	**pious**	형 경건한
2696	**aggrandizement**	명 권력 강화

2697	**parallelism**	명 유사성
2698	**banal**	형 따분한
2699	**optimization**	명 최적화
2700	**impetuous**	형 성급한
2701	**radiate**	동 내뿜다
2702	**germane**	형 밀접한 관련이 있는
2703	**spawn**	동 알을 낳다
2704	**overdue**	형 기한이 지난
2705	**shortfall**	명 부족, 부족분
2706	**implore**	동 간청하다
2707	**jurisdiction**	명 사법권
2708	**fetus**	명 태아
2709	**calumny**	명 비방, 명예훼손
2710	**give way to**	~을 못 이기다
2711	**in no way**	결코 ~ 않다
2712	**be tired of**	~에 싫증이 나다
2713	**tear ~ down**	해체하다, 헐다
2714	**be fettered by**	속박을 당하다
2715	**drop off**	잠들다
2716	**be meant to**	~할 셈이다
2717	**figure out**	알아내다
2718	**be told to**	당부받다
2719	**keep an eye on**	~을 주시하다, 계속 지켜보다
2720	**on the ground**	현장에서

DAY 35

🍀 최빈출 단어

2721	**obvious**	휑 분명한, 확실한
2722	**stereotype**	몡 고정관념, 정형화된 생각 됭 고정관념을 만들다, 정형화하다
2723	**finding**	몡 (조사·연구 등의) 결과, 발견
2724	**distribution**	몡 분배, 배포, 배급; 분포, 유통
2725	**exaggerate**	됭 과장하다, 허풍떨다 됭 악화시키다
2726	**psychology**	몡 심리학
2727	**strain**	몡 부담, 긴장, 압박; 염좌, 좌상 됭 잡아당기다
2728	**attachment**	몡 애착; 믿음, 지지
2729	**equip**	됭 장비를 갖추다
2730	**aesthetic**	휑 미적인, 심미적인; 몡 미학

🍀 빈출 단어

2731	**longevity**	몡 장수, 수명
2732	**lodge**	몡 오두막, 산장; 됭 제기하다
2733	**underpin**	됭 뒷받침하다, 근거를 주다 됭 (벽을) 보강하다, 지지물을 받치다
2734	**inactive**	휑 활동하지 않는, 소극적인
2735	**strand**	몡 (한) 가닥, 끈 됭 오도 가도 못하게 하다

2736	**drawback**	명 단점, 결점
2737	**nomadic**	형 유목의, 방랑의
2738	**bestow**	동 부여하다, 주다
2739	**respectively**	부 각각, 각자
2740	**exacerbate**	동 악화시키다; (사람을) 격분시키다
2741	**setback**	명 실패, 차질
2742	**ambassador**	명 대사, 대표
2743	**antiquity**	명 고대, 아주 오래됨; 유물
2744	**discreet**	형 신중한, 사려 깊은
2745	**illegible**	형 알아볼 수 없는, 읽기 어려운
2746	**sap**	동 약화시키다
2747	**frank**	형 솔직한
2748	**surrogate**	명 대리인; 형 대리의, 대용의

🍀 빈출 숙어

2749	**rely on**	의존하다
2750	**give rise to**	~을 일으키다, 유발하다
2751	**have no choice but to**	~할 수밖에 없다
2752	**make a point of**	강조하다, 중요시하다 반드시 ~하다, ~하기로 정하다
2753	**pave the way**	길을 마련하다, 상황을 조성하다
2754	**make do with**	~으로 견디다, 임시변통하다

🍀 완성 어휘

2755	**unflinching**	형 위축되지 않는, 단호한
2756	**tackle**	동 다루다, ~에게 덤벼들다
2757	**rambling**	명 횡설수설
2758	**demeanor**	명 처신, 행실, 품행
2759	**irredeemable**	형 바로잡을 수 없는
2760	**stroll**	동 산책하다, 거닐다
2761	**unearth**	동 발굴하다, 파내다
2762	**fixate**	동 정착시키다
2763	**obliging**	형 친절한, 도와주는
2764	**simulated**	형 가장된
2765	**overhear**	동 엿듣다
2766	**derelict**	형 버려진, 태만한; 명 노숙자
2767	**hallmark**	명 특징, 품질 보증
2768	**nuance**	명 미묘한 차이, 뉘앙스
2769	**textual**	형 원문의, 본문의
2770	**pessimism**	명 비관주의
2771	**statute**	명 법령
2772	**angst**	명 불안
2773	**hygiene**	명 위생
2774	**favorable**	형 호의적인, 유리한
2775	**delinquent**	형 비행의, 범죄 성향을 보이는
2776	**biography**	명 전기, 일대기

2777	**blur**	통 흐릿하게 만들다
2778	**converge**	통 수렴하다, 모이다
2779	**insolvent**	형 파산한
2780	**beneficent**	형 친절한, 선행을 하는
2781	**congenial**	형 마음이 맞는
2782	**germinate**	통 싹트다, 시작되다
2783	**procrastinate**	통 미루다, 질질 끌다
2784	**placid**	형 차분한
2785	**defenseless**	형 무방비의
2786	**arousal**	명 각성, 자극
2787	**impoverish**	통 빈곤하게 하다
2788	**categorically**	부 절대로, 단호하게
2789	**lucid**	형 명료한
2790	**far-flung**	형 먼, 멀리 떨어진
2791	**object to**	~에 반대하다
2792	**mingle with**	~와 섞다, 어울리다
2793	**mull ~ over**	~에 대해 숙고하다
2794	**on the fast track**	고속 승진하는
2795	**a slew of**	많은
2796	**play havoc with**	~을 아수라장으로 만들다
2797	**out of one's wits**	제정신을 잃고
2798	**in praise of**	~을 칭찬하여
2799	**have difficulty ~ing**	~을 하는 데 곤란을 느끼다

DAY 36

🍀 최빈출 단어

2801	**adapt**	동 적응하다; 맞추다, 조정하다
2802	**separate**	동 분리하다, 나누다 형 분리된, 별개의
2803	**fundamental**	형 근본적인, 본질적인 형 핵심적인, 필수적인
2804	**declare**	동 선언하다, 선포하다
2805	**fatal**	형 치명적인, 죽음을 초래하는 형 돌이킬 수 없는
2806	**attraction**	명 매력, 끌림; 명소
2807	**resemble**	동 닮다, 유사하다
2808	**port**	명 항구
2809	**colonial**	형 식민지의, 식민지 시대의

🍀 빈출 단어

2810	**refugee**	명 난민
2811	**compelling**	형 설득력 있는 형 강렬한, 아주 흥미로운
2812	**exotic**	형 외국산의, 이국적인, 외국의
2813	**theoretical**	형 이론적인, 이론상의
2814	**undoubtedly**	부 의심할 여지 없이, 확실히
2815	**lurk**	동 숨어 있다, 도사리다 명 잠복, 밀행

2816	**scarcely**	분 거의 ~하지 않다, 겨우
2817	**affluent**	형 부유한, 풍족한, 풍부한 명 지류
2818	**multitude**	명 다량, 다수
2819	**exile**	명 유배, 추방, 망명 동 추방하다, 유배하다
2820	**supplementary**	형 추가의, 보충의
2821	**incumbent**	명 현직자, 재직자; 형 재임 중인
2822	**aristocrat**	명 귀족
2823	**inferior**	형 못한, 열등한 형 질이 떨어지는, 열악한
2824	**attentive**	형 주의를 기울이는
2825	**taciturn**	형 말수가 적은
2826	**souvenir**	명 기념품, 선물
2827	**excavate**	동 발굴하다, 파다
2828	**disintegration**	명 붕괴, 분열
2829	**desultory**	형 두서없는, 일관성 없는
2830	**merger**	명 합병

🌸 빈출 숙어

2831	**be the case**	실제로 그러하다
2832	**bring oneself to**	~할 마음이 나다, ~으로 이끌다
2833	**make ends meet**	먹고 살 만큼 벌다, 간신히 연명하다
2834	**cross one's mind**	생각이 나다, 생각이 떠오르다

🌸 완성 어휘

2835	**infiltration**	명 침입, 침투
2836	**illicit**	형 불법의
2837	**deploy**	동 (전략적으로) 배치하다
2838	**itinerant**	형 떠돌아다니는
2839	**stupendous**	형 거대한, 굉장한
2840	**taxation**	명 세금, 조세
2841	**cautionary**	형 경고의
2842	**flimsy**	형 조잡한, 얇은
2843	**odium**	명 증오, 비난
2844	**simultaneous**	형 동시의
2845	**paralyze**	동 마비시키다
2846	**ecstatic**	형 황홀한; 명 무아지경
2847	**prod**	동 찌르다, 자극하다
2848	**expiable**	형 보상할 수 있는
2849	**fawn**	동 아첨하다, 비위 맞추다
2850	**objection**	명 이의
2851	**unleash**	동 불러일으키다, 해방하다
2852	**prolong**	동 연장하다, 연기하다
2853	**vaccinate**	동 예방 접종을 하다
2854	**clientele**	명 고객, 소송 의뢰인
2855	**revolutionize**	동 혁신을 일으키다
2856	**detention**	명 구금

2857	**predicate**	동 단정하다
2858	**commuter**	명 통근자
2859	**cramped**	형 비좁은
2860	**interlock**	동 서로 맞물리다
2861	**cumbersome**	형 크고 무거운, 다루기 힘든
2862	**enunciate**	동 (생각을 명확히) 밝히다
2863	**auditory**	형 청각의
2864	**inverted**	형 반대의, 거꾸로 된
2865	**deciduous**	형 매년 잎이 떨어지는
2866	**faceless**	형 익명의, 정체불명의
2867	**impunity**	명 처벌을 받지 않음
2868	**pliancy**	명 유순함
2869	**reign**	동 다스리다; 명 통치 기간
2870	**anecdote**	명 일화
2871	**oversee**	동 감독하다
2872	**at odds**	다투는, 불화하는
2873	**get cold feet**	무서워하다, 갑자기 초조해지다
2874	**bring down**	~을 줄이다, 붕괴시키다
2875	**be serviceable to**	~에 도움이 되다
2876	**screw up**	~을 망치다, 고정시키다
2877	**be prepared for**	~을 각오하고 있다
2878	**get through**	~을 빠져나가다
2879	**fed up with**	~에 진저리가 난
2880	**be disposed of**	처리되다

DAY 37

🍀 최빈출 단어

2881	**variety**	몡 다양성, 여러 가지; 종류, 품종
2882	**imply**	동 암시하다, 시사하다; 의미하다
2883	**perceive**	동 감지하다, 인식하다 동 ~으로 여기다
2884	**seemingly**	분 겉보기에는
2885	**emission**	몡 배출
2886	**versatile**	혱 다재다능한, 다용도의
2887	**arrogant**	혱 거만한
2888	**lest**	젭 ~할까 봐, ~하지 않도록
2889	**pioneer**	몡 개척자, 선구자; 동 개척하다

🍀 빈출 단어

2890	**consistent**	혱 한결같은, 일관된 혱 (의견 따위가) 일치하는, 양립하는
2891	**individualistic**	혱 개인주의의
2892	**uphold**	동 지지하다, 격려하다 동 받치다, 들어 올리다
2893	**provoke**	동 유발하다 동 화나게 하다, 도발하다
2894	**revolve**	동 (축을 중심으로) 돌다, 회전하다 동 순환하다, 주기적으로 되풀이하다
2895	**allocate**	동 분배하다, 할당하다

2896	**blend**	통 섞이다, 어우러지다
2897	**expire**	통 만료되다, 만기 되다 통 숨을 거두다, 죽다
2898	**deteriorate**	통 악화되다
2899	**timid**	형 소심한, 자신감이 없는
2900	**enlighten**	통 깨우치게 하다, 계몽하다
2901	**communal**	형 공동의, 공동체의
2902	**mutation**	명 돌연변이
2903	**pause**	명 멈춤, 휴지 통 잠시 멈추다, 정지하다
2904	**torment**	통 고통을 주다, 괴롭히다 명 고통, 괴로움
2905	**esteem**	명 존경 통 높이 평가하다, 존경하다
2906	**combat**	통 싸우다, 전투를 벌이다 명 전투, 싸움
2907	**exhort**	통 촉구하다, 열심히 권하다
2908	**detest**	통 혐오하다, 몹시 싫어하다
2909	**misguided**	형 잘못 판단한, 엉뚱한

🌸 빈출 숙어

2910	**no doubt**	분명 ~할 것이다, 틀림없는
2911	**at the moment**	바로 지금, 그때
2912	**over the course of**	~ 동안
2913	**heat up**	가열되다; (분위기 등이) 달아오르다
2914	**melt away**	차츰 사라지다

✿ 완성 어휘

2915	**quell**	동 진압하다
2916	**improbable**	형 사실 같지 않은
2917	**marital**	형 결혼의, 부부의
2918	**upend**	동 뒤집다, 거꾸로 세우다
2919	**guild**	명 조합, 협회
2920	**disorganize**	동 무질서하게 하다
2921	**deride**	동 조롱하다
2922	**adhere**	동 부착되다
2923	**submissive**	형 순종적인, 고분고분한
2924	**ceaseless**	형 끊임없는, 끝이 없는
2925	**template**	명 본보기
2926	**malicious**	형 악의적인
2927	**blast**	명 폭발
2928	**flammable**	형 불에 잘 타는, 가연성의
2929	**offset**	동 상쇄하다, 벌충하다
2930	**magnitude**	명 규모
2931	**stagnant**	형 고여 있는
2932	**belongings**	명 소유물, 재산
2933	**denial**	명 부인, 부정
2934	**devour**	동 게걸스레 먹다
2935	**rapture**	명 황홀감, 환희
2936	**concurrent**	형 동시에 발생하는

2937	**jaunty**	형 의기양양한, 쾌활한
2938	**hustle**	동 거칠게 밀다; 명 소동
2939	**frugal**	형 절약하는, 간소한
2940	**copious**	형 엄청난, 방대한
2941	**quest**	명 탐색, 추구; 동 탐구하다
2942	**hostage**	명 인질
2943	**immovable**	형 고정된, 요지부동인
2944	**authorship**	명 원저자, 원작자
2945	**effuse**	동 발산시키다
2946	**polarize**	동 양극화하다
2947	**breach**	동 위반하다; 명 위반
2948	**burrow**	동 파고들다
2949	**pin down**	꼼짝 못 하게 하다
2950	**drop by**	잠깐 들르다
2951	**run for**	~에 입후보하다
2952	**in the face of**	~에 직면하여
2953	**in harm's way**	위험에 처한, 위험을 무릅쓰고
2954	**all the rest**	그 밖의 모든 것
2955	**side with**	~의 편에 서다
2956	**broadly speaking**	대체로, 대략 말하자면
2957	**stave off**	(안 좋은 일을) 피하다
2958	**get one's feet wet**	(처음) 해보다, 시작하다
2959	**as a matter of fact**	사실은
2960	**to good purpose**	아주 효과적으로

DAY 38

🌸 최빈출 단어

2961	**mainly**	부 주로, 대개
2962	**recall**	동 떠올리다, 기억해 내다
2963	**democratic**	형 민주주의의, 민주주의적인
2964	**classify**	동 분류하다, 등급별로 나누다 동 (공문서 따위를) 기밀 취급하다
2965	**permanent**	형 영구적인, 불변의
2966	**innovation**	명 혁신, 쇄신
2967	**shortage**	명 부족, 결핍
2968	**flourish**	동 잘 자라다, 번성하다 동 번창하다, 성공하다
2969	**anticipate**	동 예상하다, 예측하다 동 기대하다, 고대하다
2970	**supplement**	명 보충제, 보충물 동 보충하다, 추가하다

🌸 빈출 단어

2971	**assure**	동 보장하다, 장담하다
2972	**induce**	동 유발하다, 유도하다
2973	**discrimination**	명 차별; 식별, 판별
2974	**vanish**	동 사라지다, 없어지다
2975	**evaporate**	동 증발하다

2976	**traumatic**	혭 정신적 충격을 주는
2977	**frivolous**	혭 경박한, 경솔한
2978	**robust**	혭 튼튼한, 강건한 혭 (견해·의지가) 확고한
2979	**flee**	동 도피하다, 도망치다
2980	**disposition**	명 성향, 기질; 의향, 경향
2981	**flattering**	혭 아첨하는
2982	**consistency**	명 일관성, 한결같음
2983	**cradle**	명 요람; 발상지
2984	**scorn**	동 경멸하다, 멸시하다 명 경멸, 멸시
2985	**dilute**	동 약화시키다, 희석하다
2986	**compassionate**	혭 동정적인, 연민 어린
2987	**nadir**	명 최악의 순간, 밑바닥
2988	**upright**	혭 수직의, 똑바른 혭 (사람이) 강직한, 곧은

🏵 빈출 숙어

2989	**get to**	~에 이르다
2990	**make sure**	반드시 ~하다
2991	**in particular**	특히
2992	**hand in**	~을 제출하다, 건네주다
2993	**pay tribute to**	~에게 경의를 표하다
2994	**pore over**	세세히 보다

✿ 완성 어휘

2995	**asthma**	몡 천식
2996	**sumptuousness**	몡 호화로움, 화려함
2997	**surly**	혱 못된, 무례한
2998	**articulate**	혱 논리 정연한; 동 분명히 표현하다
2999	**inanimate**	혱 무생물의, 죽은
3000	**morose**	혱 침울한, 시무룩한
3001	**unrivaled**	혱 무적의, 비할 데가 없는
3002	**extol**	동 칭찬하다, 격찬하다
3003	**toxicant**	몡 독약, 독극물; 혱 유독한
3004	**unify**	동 통일하다, 통합하다
3005	**compute**	동 계산하다, 산출하다
3006	**conglomerate**	몡 집단, 대기업
3007	**kindle**	동 불을 붙이다, 부추기다
3008	**fracture**	동 균열되다; 몡 균열
3009	**otherworldly**	혱 내세의, 저승의
3010	**snobbish**	혱 속물적인
3011	**petal**	몡 꽃잎
3012	**naive**	혱 순진한
3013	**dauntless**	혱 불굴의, 용감한
3014	**attenuate**	동 약화시키다
3015	**inauguration**	몡 취임식
3016	**majesty**	몡 장엄함, 폐하

3017	**limb**	명 팔다리
3018	**rash**	명 (피부의) 발진
3019	**deference**	명 존중, 경의
3020	**uptake**	명 섭취
3021	**diffuse**	동 퍼지다, 발산하다
3022	**limp**	동 절뚝거리다
3023	**impulsive**	형 충동적인
3024	**scenic**	형 경치가 좋은
3025	**aviation**	명 항공, 항공술
3026	**retribution**	명 응징, 징벌
3027	**influx**	명 쇄도, 밀어닥침
3028	**hungrily**	부 탐욕스럽게
3029	**on the fence**	애매한 태도를 취하여
3030	**run into**	~를 맞닥뜨리다
3031	**keep ~ posted**	~에게 최신 정보를 전하다
3032	**hold off**	~을 미루다
3033	**on the face of it**	겉으로 보기에는
3034	**with open arms**	쌍수를 들고, 대환영하여
3035	**rest with**	~의 책임이다
3036	**in fits and starts**	간헐적으로
3037	**shake up**	~를 일깨우다
3038	**at the height of**	~의 절정에
3039	**bustle in and out**	사방으로 돌아다니다
3040	**beat around the**	둘러대다, 요점을 피하다

DAY 39

🍀 최빈출 단어

3041	**efficient**	휑 효율적인, 능률적인
3042	**extent**	명 규모, 정도
3043	**mutual**	휑 상호 간의, 서로의
3044	**welfare**	명 복지, 후생 명 (개인·단체의) 안녕, 행복
3045	**compound**	명 혼합물, 화합물 동 혼합하다; 악화시키다
3046	**retirement**	명 은퇴, 퇴직
3047	**territory**	명 영토, 영역
3048	**habitat**	명 서식지, 거주지
3049	**governor**	명 주지사, 총독
3050	**accommodate**	동 수용하다, 공간을 제공하다 동 적응시키다, 조절하다
3051	**resign**	동 체념하다, 감수하다 동 사임하다, 물러나다

🍀 빈출 단어

3052	**implicit**	휑 내포된, 암시적인 휑 절대적인, 무조건적인
3053	**infrastructure**	명 공공 기반 시설
3054	**vanity**	명 허영심, 자만심
3055	**assign**	동 배정하다, 할당하다

3056	**audacious**	형 대담한
3057	**indulge**	동 푹 빠지다
3058	**augment**	동 늘리다, 증가시키다
3059	**generosity**	명 관대함, 너그러움
3060	**turmoil**	명 혼란, 소란
3061	**tow**	동 견인하다, 끌다
3062	**authentic**	형 진짜의, 진품인
3063	**disseminate**	동 전파하다, 퍼뜨리다
3064	**needy**	형 어려운, 궁핍한
3065	**exemplary**	형 모범적인, 전형적인
3066	**discordant**	형 일치하지 않는, 조화되지 않는
3067	**outgoing**	형 외향적인
3068	**immaculate**	형 티 하나 없이 깔끔한

🍀 빈출 숙어

3069	**so far**	지금까지, 현재까지
3070	**at times**	때때로
3071	**settle down**	정착하다; 진정하다
3072	**by nature**	천성적으로, 본래
3073	**move on to**	~으로 넘어가다
3074	**persist in**	~을 계속하다

🏵 완성 어휘

3075	**obsequious**	형 아부하는
3076	**tout**	동 선전하다, 장점을 내세우다
3077	**untapped**	형 손대지 않은, 미개척의
3078	**upscale**	형 평균 이상의, 상위의
3079	**variant**	형 다른; 명 변형
3080	**balmy**	형 아늑한, 훈훈한
3081	**trite**	형 진부한
3082	**markedly**	부 현저하게, 뚜렷하게
3083	**considerate**	형 사려 깊은, 배려하는
3084	**frail**	형 노쇠한
3085	**selfhood**	명 자아
3086	**jubilance**	명 환희
3087	**legality**	명 합법성
3088	**consortium**	명 연합
3089	**snuff**	동 끄다
3090	**devout**	형 독실한
3091	**suffuse**	동 가득 차게 하다
3092	**rigid**	형 엄격한, 융통성 없는
3093	**prairie**	명 대초원
3094	**illumination**	명 빛, 조명
3095	**fling**	동 내던지다
3096	**roam**	동 돌아다니다

3097	**raucous**	형 귀에 거슬리는, 시끄러운
3098	**petty**	형 사소한, 옹졸한
3099	**portent**	명 징후
3100	**fallout**	명 낙진, 부산물
3101	**salutary**	형 유익한
3102	**demolish**	동 철거하다
3103	**ego**	명 자부심, 자아
3104	**custody**	명 유치, 구류, 양육권
3105	**gratuitous**	형 쓸데없는
3106	**avid**	형 열심인
3107	**spooky**	형 으스스한
3108	**loathing**	명 혐오감, 증오
3109	**bliss**	명 더없는 행복
3110	**out in left field**	별난, 이상한
3111	**pass a bill**	법안을 통과시키다
3112	**catch ~ out**	~를 곤란하게 만들다
3113	**hit ~ hard**	~를 심하게 치다
3114	**fret over**	걱정하다
3115	**make one's way**	나아가다
3116	**place a strain on**	~에 부담을 가하다
3117	**go on the air**	방송되다
3118	**under one's nose**	코앞에서
3119	**get through with**	~을 끝내다, 완료하다
3120	**in the least**	조금도 ~않다

DAY 40

최빈출 단어

3121	**highly**	튀 아주, 매우; 높이 평가하여
3122	**confirm**	동 (사실임을) 확인하다, 보여주다 동 (결심·습관 등을) 굳히다
3123	**contemporary**	형 현대의; 동시대의 명 동시대 사람
3124	**regulation**	명 규제, 규정
3125	**complexity**	명 복잡함
3126	**apparent**	형 명백한, 눈에 띄는 형 ~인 것처럼 보이는, 여겨지는
3127	**urgent**	형 시급한, 긴급한
3128	**respiratory**	형 호흡기관의
3129	**postpone**	동 미루다, 연기하다
3130	**committee**	명 위원회
3131	**asset**	명 재산, 자산

빈출 단어

3132	**condemn**	동 비난하다
3133	**thrive**	동 번성하다, 번영하다
3134	**repetition**	명 반복
3135	**conform**	동 (행동이나 의견을) 같이하다 동 (규칙·법 등에) 따르다, 순응하다

3136	incidence	몡 발생률, 발병률
3137	energize	통 활력을 북돋다 통 동력을 공급하다
3138	scatter	통 뿌리다, 분산시키다
3139	ruling	혱 우세한, 지배하는 몡 판결, 결정
3140	evade	통 피하다, 모면하다 통 떠오르지 않다
3141	noticeable	혱 뚜렷한, 눈에 잘 띄는
3142	pacify	통 진정시키다, 달래다
3143	divulge	통 폭로하다, 누설하다
3144	assault	몡 폭행, 공격; 통 폭행하다
3145	diverge	통 나뉘다, 갈라져 나오다
3146	nominate	통 지명하다, 추천하다
3147	dictate	통 지시하다, 명령하다 통 받아쓰게 하다
3148	migrant	몡 이주자; 혱 이주하는
3149	uncanny	혱 이상한, 묘한

🍀 빈출 숙어

3150	be designed to	~하도록 설계되다
3151	put up with	~을 참다
3152	come about	일어나다, 발생하다
3153	fit into	~에 꼭 들어맞다, 적합하다
3154	inside out	철저하게, 안팎으로; (안팎을) 뒤집어

🍀 완성 어휘

3155	**discontent**	명 불만
3156	**inversion**	명 도치, 전도
3157	**inclusivity**	명 포용력, 포용 정책
3158	**underestimate**	동 과소평가하다; 명 과소평가
3159	**monarch**	명 군주, 황제
3160	**falsification**	명 위조, 반증
3161	**laconic**	형 말수가 적은, 간결한
3162	**transcribe**	동 기록하다, 베끼다
3163	**decidedly**	부 확실히, 단호히
3164	**swindle**	동 속이다
3165	**fondness**	명 취미, 애호
3166	**gruesome**	형 끔찍한, 섬뜩한
3167	**overload**	명 과부하
3168	**garner**	동 모으다, 얻다
3169	**stipend**	명 급료, 봉급, 장학금
3170	**instantaneous**	형 즉각적인, 순간적인
3171	**pejorative**	형 경멸적인
3172	**civility**	명 예의, 공손함
3173	**functionary**	명 공무원
3174	**somber**	형 칙칙한
3175	**dim**	형 어둑한
3176	**flop**	동 드러눕다

3177	palate	명 미각
3178	sedentary	형 앉아서 하는
3179	barbarity	명 만행
3180	indelible	형 잊을 수 없는
3181	execution	명 사형, 실행
3182	expediency	명 편의
3183	malevolent	형 악의적인
3184	sewage	명 하수, 오수
3185	haughty	형 거만한
3186	garrulous	형 수다스러운
3187	unassertive	형 내성적인, 단정적이 아닌
3188	inclement	형 좋지 못한
3189	rise up	봉기하다, 일어서다
3190	put ~ into action	~을 실행에 옮기다
3191	pace oneself	속도를 유지하다
3192	cater to	~의 구미에 맞추다
3193	take charge of	맡다, ~의 책임을 지다
3194	opt for	~을 선택하다
3195	delve into	~을 철저하게 조사하다
3196	in sync with	~과 맞춰서
3197	teem with	~으로 풍부하다
3198	cling to	~을 고수하다
3199	that said	그렇긴 하지만
3200	ease into	~에 친숙해지다

DAY 41

🌸 최빈출 단어

3201	**sentence**	몡 문장; 선고, 형벌 동 선고하다
3202	**priority**	몡 우선 사항, 우선권
3203	**variation**	몡 차이, 변화; 변이, 변주곡
3204	**humanity**	몡 인류
3205	**assist**	동 돕다, 도움이 되다
3206	**trigger**	동 유발하다, 일으키다 몡 (어떤 일을 촉발한) 계기
3207	**ritual**	몡 의식, 의례 형 의식 절차상의
3208	**voluntary**	형 자발적인; 자원봉사로 하는
3209	**overwhelm**	동 압도하다, 뒤엎다

🌸 빈출 단어

3210	**pulse**	몡 맥박, 맥 동 맥박치다, 고동치다
3211	**compatible**	형 (뜻이) 잘 맞는, 양립될 수 있는 형 호환이 되는
3212	**usage**	몡 용법, 사용법
3213	**shrink**	동 줄어들다, 줄어들게 하다
3214	**translation**	몡 번역, 번역물; 해석
3215	**analogous**	형 유사한

3216	**credibility**	몡 신뢰도, 신뢰성
3217	**benign**	혱 상냥한, 유순한 혱 (종양 등이) 양성의
3218	**optimal**	혱 최적의, 최상의
3219	**nonexistent**	혱 존재하지 않는
3220	**vague**	혱 모호한
3221	**preposterous**	혱 터무니없는
3222	**inventory**	몡 목록
3223	**divergent**	혱 (의견 등이) 다른 혱 갈라지는, 나뉘는
3224	**impetus**	몡 추진력, 자극
3225	**eccentric**	혱 별난, 괴짜인
3226	**omnipresent**	혱 편재하는, 어디에나 있는
3227	**unerring**	혱 정확한, 틀림이 없는
3228	**diffident**	혱 조심스러운, 소심한

🍀 빈출 숙어

3229	**suffer from**	~으로 고통받다
3230	**go wrong**	(일이) 잘못되다, 잘못하다
3231	**with regard to**	~과 관련해서
3232	**keep abreast of**	~에 뒤떨어지지 않게 하다
3233	**be hard on**	~에게 매정하게 굴다, ~를 심하게 대하다; ~에 나쁘다
3234	**stay away from**	~을 끊다, 가까이하지 않다

🌸 완성 어휘

3235	**fume**	명 연기; 동 연기가 나다
3236	**lawsuit**	명 소송, 고소
3237	**systemicity**	명 체계성, 계통성
3238	**sniff**	동 냄새를 맡다
3239	**insatiable**	형 만족시킬 수 없는
3240	**ascetic**	형 금욕적인; 명 금욕주의자
3241	**exempt**	형 면제된; 동 면제하다
3242	**disassemble**	동 분해하다
3243	**regression**	명 퇴행, 퇴보
3244	**thereafter**	부 그 후에
3245	**following**	형 그다음의
3246	**initiative**	명 주도권, 진취성
3247	**treacherous**	형 신뢰할 수 없는
3248	**expound**	동 자세히 설명하다
3249	**contravention**	명 위반
3250	**completion**	명 완료, 완성
3251	**flamboyant**	형 눈부신, 이색적인
3252	**incite**	동 조장하다
3253	**heir**	명 상속인
3254	**blue-collar**	형 육체노동자의
3255	**diagnose**	동 진단하다
3256	**refuge**	명 피난처

3257	**rejection**	명 거절, 폐기
3258	**pitfall**	명 함정, 위험
3259	**liability**	명 법적 책임
3260	**downfall**	명 몰락
3261	**recondite**	형 많이 알려지지 않은
3262	**captive**	형 사로잡힌
3263	**responsive**	형 즉각 반응하는
3264	**heed**	동 주의를 기울이다
3265	**infancy**	명 유아기, 초창기
3266	**incursion**	명 급습
3267	**prosecution**	명 기소, 소추
3268	**majestic**	형 장엄한
3269	**contestation**	명 논쟁, 주장
3270	**throw away**	버리다
3271	**out of curiosity**	호기심에서
3272	**to some extent**	어느 정도까지, 얼마간
3273	**do without**	없이 견디다
3274	**ring a bell**	들어본 적이 있는 것 같다
3275	**feel blue**	우울하다
3276	**come through**	(메시지 등이) 들어오다
3277	**at the cost of**	~을 희생하여
3278	**emerge from**	~에서 벗어나다
3279	**cast doubt on**	의구심을 제기하다
3280	**put one's finger on**	~을 확실히 지적하다

DAY 42

🍀 최빈출 단어

3281	**citizen**	몡 시민, 주민
3282	**literature**	몡 문학
3283	**transfer**	동 옮기다, 이동하다; 몡 이동, 이전
3284	**apparently**	부 분명히, 명백히 부 보기에, 외견상으로는
3285	**via**	전 (특정한 매개를) 통해, 거쳐
3286	**distinctive**	혱 독특한, 특색 있는
3287	**remote**	혱 외딴, 외진; 멀리 떨어진, 먼
3288	**bargain**	몡 합의, 흥정 몡 할인 상품, 이득을 본 매입 동 협상하다, 흥정하다
3289	**sympathy**	몡 동정, 연민; 동조, 공감
3290	**intact**	혱 온전한, 완전한

🍀 빈출 단어

3291	**transparent**	혱 명백한, 알기 쉬운 혱 투명한, 속이 비치는
3292	**renewable**	혱 재생 가능한
3293	**sibling**	몡 형제자매
3294	**nutritious**	혱 영양분이 많은
3295	**avert**	동 (고개를) 돌리다, 외면하다 동 피하다, 방지하다

3296	**occurrence**	명 존재, 나타남, 발생하는 것
3297	**disastrous**	형 끔찍한, 처참한
3298	**enrich**	동 질을 높이다, 부유하게 만들다
3299	**entail**	동 수반하다
3300	**constraint**	명 제약, 제한
3301	**glimpse**	명 짧은 경험, 잠깐 봄 동 언뜻 보다, 흘깃 보다
3302	**aboard**	전 ~을 타고; 부 탑승한, 승차하여
3303	**escalate**	동 증가되다, 확대되다
3304	**bilingual**	형 이중 언어를 사용하는
3305	**intensify**	동 심화시키다, 강화하다
3306	**degrade**	동 (질을) 저하시키다, (평판을) 떨어뜨리다 동 분해하다, 분해되다
3307	**proscribe**	동 금지하다, 배척하다
3308	**indefinitely**	부 무기한으로
3309	**turbulent**	형 격동의, 사납게 요동치는 형 난기류의
3310	**efface**	동 삭제하다, 지우다

🍀 빈출 숙어

3311	**originate from[in]**	~에서 비롯되다, ~이 원인이다
3312	**attend to**	~을 돌보다, 시중들다; ~에 전념하다
3313	**with ease**	쉽게
3314	**stand up for**	두둔하다, 옹호하다

🍀 완성 어휘

3315	**rack**	동 괴롭히다, 고통을 주다
3316	**stroke**	명 뇌졸중, 타격, 치기
3317	**nursery**	명 양육실, 양성소
3318	**doctrine**	명 교리, 원칙
3319	**libel**	명 명예훼손
3320	**sanctuary**	명 보호 구역, 안식처
3321	**spectator**	명 관중
3322	**carelessness**	명 부주의, 경솔함
3323	**telltale**	형 숨길 수 없는
3324	**utilitarian**	형 실용적인, 공리주의의
3325	**digress**	동 주제에서 벗어나다
3326	**quarrelsome**	형 다투기 좋아하는
3327	**discernment**	명 안목
3328	**unquenchable**	형 충족시킬 수 없는
3329	**peerless**	형 (뛰어나기가) 비할 데 없는
3330	**payee**	명 수취인
3331	**parched**	형 몹시 건조한
3332	**meritorious**	형 칭찬할 만한
3333	**vocation**	명 천직, 소명
3334	**invoice**	명 청구서
3335	**sake**	명 동기, 목적
3336	**immortal**	형 죽지 않는

3337	**precarious**	형 불안정한
3338	**gist**	명 요지
3339	**remuneration**	명 보수, 보상
3340	**detractor**	명 중상자, 명예 훼손자
3341	**exterminate**	동 몰살시키다
3342	**ridicule**	명 조롱, 조소
3343	**incongruous**	형 어울리지 않는
3344	**proposition**	명 제의
3345	**blessing**	명 축복, 승인
3346	**inhumane**	형 비인간적인
3347	**antioxidant**	명 산화 방지제
3348	**evacuee**	명 피난민
3349	**disagreeable**	형 불쾌한; 명 불쾌한 일
3350	**run-in**	명 언쟁, 싸움
3351	**catch on**	유행하다, 인기를 얻다
3352	**stake out**	~에 대해 의견을 분명히 밝히다
3353	**take the crown**	왕위에 오르다
3354	**portion out**	분배하다, 나눠주다
3355	**reason with**	~를 설득하다
3356	**dwell on**	~을 깊이 생각하다
3357	**get down to**	바로 본론으로 들어가다
3358	**sprain one's ankle**	발목을 삐다
3359	**bring out**	발휘하게 하다, 끌어내다
3360	**clear away**	청소하다, ~을 치우다

DAY 43

🍀 최빈출 단어

3361	**potential**	형 가능성이 있는, 잠재적인 명 가능성
3362	**extremely**	부 극도로, 아주, 대단히
3363	**evolution**	명 진화, 발전, 진전
3364	**merely**	부 단지
3365	**innocent**	형 악의 없는, 순진한 형 결백한, 무죄인
3366	**destruction**	명 붕괴, 파괴, 말살
3367	**loan**	명 대출, 융자 동 빌려주다, 대출해주다
3368	**accessible**	형 이용 가능한, 접근 가능한
3369	**arbitrary**	형 제멋대로인, 임의적인
3370	**arrival**	명 도착

🍀 빈출 단어

3371	**obligation**	명 의무, 마땅히 해야 할 일
3372	**segment**	명 부분, 조각 동 나누다, 분열시키다
3373	**superstition**	명 미신
3374	**deception**	명 속임수, 기만, 사기
3375	**fulfill**	동 (소망·야심 등을) 달성하다, 성취하다 동 이행하다, 실행하다

3376	**hamper**	통 방해하다, 저지하다
3377	**stir**	통 자극하다, 마음을 흔들다 통 휘젓다
3378	**fusion**	명 융합, 결합
3379	**scope**	명 범위; 기회, 여지, 능력
3380	**gregarious**	형 사교적인, 남과 어울리기 좋아하는 형 무리의, 군집의
3381	**provisional**	형 잠정적인, 일시적인
3382	**irreversible**	형 되돌릴 수 없는
3383	**tenacious**	형 끈질긴, 지속적인 형 집요한, 완강한
3384	**inexorable**	형 멈출 수 없는, 굽힐 수 없는 형 냉혹한, 무정한
3385	**uncover**	통 알아내다, 폭로하다 통 덮개를 벗기다
3386	**discharge**	통 해고하다, 방출하다; 석방하다
3387	**inconceivable**	형 상상할 수 없는, 생각조차 할 수 없는
3388	**visionary**	형 선견지명이 있는, 예지력 있는 형 환영의, 환각의; 명 예언자

🍀 빈출 숙어

3389	**turn into**	~으로 바뀌다, 변하다
3390	**be prone to**	~ 하기 쉽다
3391	**by oneself**	혼자서, 스스로
3392	**hand over**	넘겨주다, 인도하다
3393	**break off**	(말을) 멈추다, 중단하다 분리되다, 떨어져 나가다

🍀 완성 어휘

3395	**tumble**	동 크게 추락하다
3396	**withstand**	동 견뎌내다, 이겨내다
3397	**incipient**	형 초기의, 발단의
3398	**steadfast**	형 변함없는
3399	**orthodox**	형 정통파의
3400	**commotion**	명 소동, 소란
3401	**flexibility**	명 융통성, 유연성
3402	**persecution**	명 박해, 학대
3403	**abdicate**	동 퇴위하다, 책무를 다하지 못하다
3404	**resistive**	형 저항력 있는, 저항성의
3405	**precursor**	명 전조, 선도자
3406	**incremental**	형 증가하는, 증대하는
3407	**shudder**	동 몸을 떨다, 몸서리치다
3408	**justly**	부 바르게, 공정하게
3409	**applied**	형 응용의
3410	**borderline**	명 경계
3411	**imperishable**	형 불멸의, 불후의
3412	**outburst**	명 (감정의) 분출
3413	**humanely**	부 자비롭게, 인도적으로
3414	**self-sufficient**	형 자급자족하는
3415	**forge**	동 위조하다
3416	**outrageous**	형 충격적인, 터무니없는

3417	**abet**	동 사주하다
3418	**ornament**	명 장식품; 동 장식하다
3419	**cozy**	형 아늑한
3420	**rife**	형 만연한, 가득 찬
3421	**rob**	동 강도질하다, 털다
3422	**disembark**	동 (배·비행기에서) 내리다
3423	**glimmering**	명 희미한 빛, 미광
3424	**asteroid**	명 소행성
3425	**backer**	명 후원자
3426	**supple**	형 유연한
3427	**malpractice**	명 위법 행위, 의료 과실
3428	**repossess**	동 회수하다, 압류하다
3429	**tuck**	동 밀어 넣다
3430	**interracial**	형 다른 인종 간의
3431	**head-on**	형 정면으로 대응하는
3432	**take pride in**	~을 자랑하다
3433	**hard feelings**	적의, 악감정
3434	**put up money**	(돈을) 마련하다, 치르다
3435	**give ~ a break**	~를 너그럽게 봐주다
3436	**beat back**	~을 격퇴하다
3437	**come upon**	우연히 떠오르다
3438	**to the effect**	~이라는 의미의
3439	**in full**	전부, 빠짐없이
3440	**stick one's nose in**	~에 참견하다, 간섭하다

DAY 44

🍀 최빈출 단어

3441	**consequence**	명 결과
3442	**civilization**	명 문명, 문명사회
3443	**intellectual**	형 지적인, 지능의
3444	**considerable**	형 상당한, 많은
3445	**conference**	명 학회, 회의
3446	**acceptable**	형 용인되는, 허용되는
3447	**prompt**	동 자극하다, 촉진하다 형 재빠른, 날쌘, 기민한
3448	**assess**	동 평가하다, 산정하다 동 (세금·회비 따위를) 부과하다
3449	**deprive**	동 빼앗다, 박탈하다
3450	**integrity**	명 성실함, 진실성 명 (나뉘지 않고) 완전한 상태, 완전성

🍀 빈출 단어

3451	**despair**	명 절망; 동 절망하다, 체념하다
3452	**involvement**	명 개입, 관여; 몰두, 열중
3453	**interrupt**	동 방해하다, 중단시키다 동 (흐름·시야 등을) 차단하다
3454	**outweigh**	동 능가하다, ~보다 중대하다 동 ~보다 더 무겁다
3455	**scrutinize**	동 자세히 보다, 세밀히 조사하다

3456	**disclose**	동 밝히다, 폭로하다
3457	**obliterate**	동 (흔적을) 없애다, 지우다
3458	**weary**	형 지친, 피곤한
3459	**conquest**	명 정복; 점령지
3460	**invoke**	동 (규칙 등을) 들먹이다, 적용하다
3461	**handy**	형 유용한, 편리한 형 가까운, 이용하기 편한 곳에 있는
3462	**illusion**	명 환상
3463	**eloquent**	형 말을 잘하는, 능변의 형 감정을 드러내는
3464	**dimension**	명 관점, 차원
3465	**secretive**	형 비밀스러운, 숨기는
3466	**burglar**	명 강도, 절도범
3467	**infectious**	형 전염성의
3468	**quintessential**	형 전형적인
3469	**unveil**	동 공개하다, 발표하다 동 덮개를 벗기다
3470	**measurable**	형 측정 가능한 형 눈에 띄는, 주목할 만한

🍀 빈출 숙어

3471	**consist of**	~으로 구성되다
3472	**look up to**	~를 존경하다
3473	**ward off**	~을 피하다
3474	**take notice of**	~을 알아차리다, 신경 쓰다

🍀 완성 어휘

3475	**lukewarm**	형 열의가 없는, 미지근한
3476	**inextricably**	부 밀접하게, 불가분하게
3477	**encapsulate**	동 요약하다, 압축하다
3478	**void**	형 텅 빈, 공허한
3479	**plasticity**	명 탄력성, 유연성, 가소성
3480	**loquacious**	형 말이 많은, 수다스러운
3481	**overturn**	동 뒤엎다, 철회하다
3482	**pinnacle**	명 정점, 절정
3483	**felicitous**	형 아주 적절한
3484	**stash**	동 넣어 두다
3485	**fragrant**	형 향기로운, 향긋한
3486	**compulsion**	명 강요
3487	**creditable**	형 칭찬할 만한
3488	**inhale**	동 숨을 들이쉬다
3489	**briskly**	부 힘차게, 활발하게
3490	**digestive**	형 소화의
3491	**derogate**	동 폄하하다, 헐뜯다
3492	**unintentional**	형 고의가 아닌
3493	**surreal**	형 비현실적인, 꿈 같은
3494	**quantification**	명 수량화
3495	**necessitate**	동 필요로 하다
3496	**sin**	명 (종교·도덕상의) 죄악

3497	**dispel**	동 없애다, 떨쳐 버리다
3498	**fortify**	동 강화하다, 튼튼히 하다
3499	**pledge**	명 맹세; 동 맹세하다
3500	**nuisance**	명 성가신 것, 골칫거리
3501	**proprietor**	명 소유주
3502	**indefatigable**	형 지칠 줄 모르는
3503	**stain**	명 얼룩
3504	**convene**	동 소집하다
3505	**midland**	명 내륙부, 중부 지방
3506	**burdensome**	형 부담스러운, 힘든
3507	**retrace**	동 되짚어가다
3508	**impersonal**	형 인간미 없는
3509	**economize**	동 아끼다, 절약하다
3510	**sacred**	형 성스러운
3511	**follow up on**	~을 끝까지 하다
3512	**come between**	~ 사이에 오다
3513	**impel A to B**	A가 압박감에 B하게 만들다
3514	**play up to**	~에게 아부하다
3515	**through thick and thin**	좋을 때나 안 좋을 때나
3516	**by and large**	대체로
3517	**count out**	빼다, 배제하다
3518	**cut off**	차단하다
3519	**stand aside**	물러나다

DAY 45

🍀 최빈출 단어

3521	**factor**	몡 요소, 요인
3522	**genetic**	혱 유전의, 유전자의
3523	**construction**	몡 건설, 공사
3524	**continuously**	뷔 계속해서, 연달아
3525	**irritate**	됭 (피부 등을) 자극하다 됭 짜증 나게 하다
3526	**justify**	됭 정당화하다
3527	**bond**	몡 유대, 결속; 채권
3528	**deter**	됭 막다, 단념시키다; 예방하다
3529	**submit**	됭 제출하다; 항복하다, 복종하다
3530	**invade**	됭 침략하다, 침입하다

🍀 빈출 단어

3531	**sphere**	몡 구체; 영역, 지역
3532	**evoke**	됭 일깨우다, 자아내다 됭 (기억 따위를) 되살려내다, 환기하다
3533	**decent**	혱 제대로 된, 훌륭한 혱 품위 있는, 점잖은
3534	**retreat**	됭 후퇴하다, 철수하다 몡 후퇴, 퇴각
3535	**stimulus**	몡 부양, 자극

3536	**overnight**	부 밤새도록, 밤사이에 부 하룻밤 사이에, 갑자기
3537	**qualification**	명 자격, 자격증, 자질
3538	**erode**	동 부식시키다, 침식시키다
3539	**contagious**	형 전염성이 있는, 전염병에 걸린
3540	**harness**	동 활용하다, 이용하다
3541	**secondary**	형 부수적인, 이차적인 형 중등교육의
3542	**autonomous**	형 자주적인, 자율적인
3543	**vow**	동 단언하다, 맹세하다 명 맹세, 서약
3544	**shun**	동 기피하다, 피하다
3545	**intersect**	동 교차하다, 만나다 동 가로지르다, 횡단하다
3546	**redress**	동 (부당한 것을) 바로잡다
3547	**discrepancy**	명 차이, 불일치
3548	**praiseworthy**	형 훌륭한, 칭찬할 만한

🎴 빈출 숙어

3549	**be said to**	~이라고 한다
3550	**from time to time**	가끔
3551	**with respect to**	~에 관하여
3552	**dispense with**	~없이 지내다, 없애다, 생략하다
3553	**shed light on**	~을 명백히 하다, 해명하다
3554	**trade on**	~을 이용하다

🍀 완성 어휘

3555	**propaganda**	명 대중 선동, 선전
3556	**despicable**	형 비열한, 야비한
3557	**skyrocket**	동 (물가 등이) 급등하다
3558	**dreadful**	형 끔찍한
3559	**stiff**	형 뻣뻣한
3560	**acme**	명 절정, 정점
3561	**utopian**	형 이상적인
3562	**wane**	동 약해지다
3563	**negate**	동 무효화하다
3564	**consonance**	명 일치, 조화
3565	**transpire**	동 일어나다, 발생하다
3566	**affiliative**	형 친화적인
3567	**acrimony**	명 불화, 악감정
3568	**beware**	동 조심하다
3569	**denotation**	명 지시, 명시적 의미
3570	**rocking**	형 흔들리는
3571	**neutralize**	동 무효화시키다
3572	**flippancy**	명 경솔, 경박, 건방짐
3573	**untiring**	형 지치지 않는
3574	**unannounced**	형 예고 없는
3575	**infuse**	동 불어 넣다
3576	**scrap**	명 조각

3577	**attest**	동 입증하다, 증명하다
3578	**slender**	형 (몸이) 날씬한
3579	**dissipate**	동 소멸되다
3580	**impairment**	명 장애
3581	**precaution**	명 예방책
3582	**shiver**	동 (몸을) 떨다
3583	**intrude**	동 침범하다
3584	**drench**	동 흠뻑 적시다
3585	**entrust**	동 일을 맡기다
3586	**illusory**	형 가공의, 실체가 없는
3587	**uproot**	동 몰아내다, 뿌리째 뽑다
3588	**jaywalk**	동 무단 횡단하다
3589	**despoil**	동 약탈하다
3590	**fad**	명 일시적 유행
3591	**gutless**	형 배짱이 없는
3592	**put forth**	~을 발휘하다
3593	**be engrossed in**	~에 몰두해 있다
3594	**cut back**	축소하다, 삭감하다
3595	**get on with**	지속해 나가다
3596	**settle the matter**	해결하다
3597	**cut corners**	절차를 무시하다
3598	**scrub away**	없애다, 제거하다
3599	**pursuant to**	~에 따라
3600	**be well on the**	~을 거의 다 이루어가다

DAY 46

🌸 최빈출 단어

3601	**despite**	젠 ~에도 불구하고
3602	**rarely**	분 거의 ~하지 않는, 드물게
3603	**administration**	명 운영, 경영; 행정, 행정부
3604	**rational**	형 합리적인, 이성적인
3605	**embrace**	동 받아들이다, 수용하다 동 껴안다, 포옹하다
3606	**disrupt**	동 방해하다, 지장을 주다 동 붕괴시키다, 분열시키다
3607	**notorious**	형 악명 높은
3608	**competence**	명 능력, 역량
3609	**orbit**	동 궤도를 돌다; 명 궤도
3610	**parliament**	명 의회, 국회

🌸 빈출 단어

3611	**arouse**	동 (감정 등을) 불러일으키다 동 자극하다
3612	**jeopardize**	동 위태롭게 하다
3613	**durable**	형 오래 가는, 내구성의
3614	**undesirable**	형 바람직하지 않은
3615	**haste**	명 서두름, 급함
3616	**vacancy**	명 공백, 결원; 빈 객실, 빈방

3617	**gigantic**	형 막대한, 대규모의
3618	**enthusiasm**	명 열광
3619	**detrimental**	형 해로운, 손해를 입히는
3620	**stingy**	형 인색한, 쩨쩨한; 적은, 근소한 형 쏘는, 날카로운
3621	**aggregate**	동 종합하다, 모으다; 명 합계, 총액 형 합계의, 총액의
3622	**abound**	동 풍부하다
3623	**precede**	동 ~에 앞서다
3624	**lease**	명 임대계약, 임대
3625	**trespass**	동 (무단) 침입하다, 침해하다 동 폐를 끼치다
3626	**cohesion**	명 화합, 결합; 응집력, 유대감
3627	**clumsy**	형 서투른, 어설픈; 눈치 없는
3628	**precipitate**	동 촉발하다, 재촉하다

🍀 빈출 숙어

3629	**be made up of**	~으로 이루어지다, 구성되다
3630	**stand out**	눈에 띄다, 두드러지다
3631	**put off**	연기하다, 미루다
3632	**except for**	~을 제외하고
3633	**agree on**	~에 동의하다
3634	**(every) now and then**	때때로, 가끔

🍀 완성 어휘

3635	**outright**	톙 노골적인; 閈 노골적으로
3636	**dividual**	톙 분리된
3637	**obscurity**	뎽 모호함, 무명
3638	**blatant**	톙 노골적인
3639	**sobriety**	뎽 절제, 맨정신
3640	**discretion**	뎽 재량권, 신중함
3641	**epitomize**	됭 ~의 전형이다, 요약하다
3642	**cranky**	톙 까다로운, 불안정한
3643	**momentum**	뎽 탄력, 추진력
3644	**masquerade**	됭 변장하다; 뎽 겉치레
3645	**stratify**	됭 계층화하다
3646	**laudatory**	톙 감탄하는
3647	**causation**	뎽 야기, 인과관계
3648	**notable**	톙 주목할 만한, 중요한
3649	**perceptible**	톙 인지할 수 있는
3650	**nutritionist**	뎽 영양사, 영양학자
3651	**temperament**	뎽 기질
3652	**quota**	뎽 할당량, 한도
3653	**gratuitously**	閈 무료로
3654	**enlarge**	됭 확대하다, 확대되다
3655	**pretense**	뎽 겉치레, 가식
3656	**outdated**	톙 구식인

3657	**stipulation**	똉 조항, 조건
3658	**dissuade**	똥 만류하다
3659	**mortality**	똉 사망률, 사망자 수, 죽을 운명
3660	**locomotion**	똉 운동, 이동
3661	**innocuous**	혱 악의 없는
3662	**commend**	똥 칭찬하다
3663	**hind**	혱 뒤의
3664	**tactile**	혱 촉각의
3665	**clamor**	똉 시끄러운 외침
3666	**jocular**	혱 익살스러운
3667	**luxuriant**	혱 무성한, 풍부한
3668	**date back**	(시기를) 거슬러 올라가다
3669	**do away with**	~을 그만두다
3670	**wet behind the ears**	미숙한, 풋내기인
3671	**be booked up**	(표가) 매진되다
3672	**cover the cost**	비용을 충당하다
3673	**lap against**	(물결 등이) 밀려오다, 철썩 치다
3674	**common ground**	공통점
3675	**for the sake of**	~을 위해서
3676	**feast on**	~을 마음껏 먹다
3677	**put to use**	~을 이용하다
3678	**wrestle with**	~와 씨름하다
3679	**at stake**	위태로운

DAY 47

🍀 최빈출 단어

3681	**decline**	동 감소하다, 축소되다 명 (수·가치 등의) 지속적인 감소
3682	**security**	명 보안, 안전; 형 보안의, 안전의
3683	**ensure**	동 보장하다, 확실하게 하다
3684	**abandon**	동 버리다, 유기하다 명 방종, 자유분방
3685	**visible**	형 (눈에) 보이는, 뚜렷한
3686	**overall**	형 전반적인, 전체의 부 전반적으로, 종합적으로
3687	**resist**	동 저항하다; 참다, 견디다
3688	**substantial**	형 상당한, 많은; 실제적인, 실질적인
3689	**commodity**	명 상품, 물품, 산물

🍀 빈출 단어

3690	**conserve**	동 보존하다, 아끼다
3691	**entity**	명 독립체, 실체
3692	**complication**	명 문제, 복잡성; 합병증
3693	**camouflage**	동 위장하다, 감추다 명 위장, 속임수
3694	**conscientious**	형 성실한; 양심적인
3695	**slope**	명 경사면, 경사지 동 경사지다, 기울어지다

3696	**diagnosis**	명 진단
3697	**vibration**	명 진동
3698	**legacy**	명 유산; 업적
3699	**pension**	명 연금, 생활 보조금
3700	**slippery**	형 미끄러운; 파악하기 힘든
3701	**aptitude**	명 소질, 적성; 경향, 습성
3702	**impeccable**	형 흠잡을 데 없는, 나무랄 데 없는 형 죄를 저지르지 않는
3703	**inheritance**	명 유산, 상속
3704	**meticulous**	형 꼼꼼한, 세심한
3705	**impromptu**	형 즉흥적인 형 서둘러서 만든, 임시변통의
3706	**magnify**	동 확대하다; 과장하다
3707	**sparse**	형 드문, 희박한
3708	**exalt**	동 의기양양하게 하다, 칭찬하다 동 (신분·지위를) 상승시키다, 격상하다 동 (상상 따위를) 자극하다

🍀 빈출 숙어

3709	**in spite of**	불구하고
3710	**engage in**	~에 관여하다, 참여하다, 가담하다
3711	**apply for**	~에 지원하다
3712	**get away (from)**	(~으로부터) 벗어나다
3713	**look after**	돌보다
3714	**be entitled to**	~을 받을 자격이 있다

🍀 완성 어휘

3715	**dwindle**	동 줄어들다
3716	**wholesome**	형 건강에 좋은, 유익한
3717	**calumniate**	동 비방하다, 중상하다
3718	**homesickness**	명 향수병
3719	**equator**	명 적도
3720	**unceasing**	형 끊임없는
3721	**pellucid**	형 투명한
3722	**abate**	동 누그러지다
3723	**suck**	동 빨아 먹다, 빨다
3724	**electrify**	동 전기로 움직이게 하다
3725	**ordain**	동 정하다, 임명하다
3726	**childbearing**	명 출산, 분만
3727	**glamour**	명 화려함
3728	**self-reliance**	명 자기 의존, 자립
3729	**unscrupulous**	형 부도덕한, 무원칙의
3730	**temperate**	형 온화한
3731	**allegiance**	명 충성
3732	**disgruntled**	형 불만인
3733	**innumerable**	형 무수한
3734	**purity**	명 순수성, 순도
3735	**irregularity**	명 불규칙성
3736	**subjection**	명 복종

3737	**diversion**	명 전환
3738	**victorious**	형 승리한, 승리를 거둔
3739	**urbane**	형 세련된, 점잖은
3740	**trifling**	형 하찮은, 사소한
3741	**euthanasia**	명 안락사
3742	**invaluable**	형 매우 유용한, 귀중한
3743	**stature**	명 지명도, 위상
3744	**misuse**	명 남용, 오용
3745	**liquor**	명 술
3746	**inert**	형 기력이 없는, 둔한
3747	**keystone**	명 핵심, 쐐기돌
3748	**boastfully**	부 자랑스럽게, 허풍떨면서
3749	**appropriation**	명 할당
3750	**ad hoc**	특별한, 임기응변의
3751	**on file**	기록된
3752	**give in**	~에 항복하다, 굴복하다
3753	**fall below**	~에 미치지 않다
3754	**sleep on**	~에 대해 하룻밤 자면서 생각해 보다
3755	**bind together**	단결시키다
3756	**emancipate from**	~에서 해방하다
3757	**as a last resort**	최후의 수단으로서
3758	**keep ~ to oneself**	~을 비밀로 하다
3759	**in comparison with**	~에 비해서
3760	**be on hand**	참가하다

DAY 48

❀ 최빈출 단어

3761	**promote**	통 승진하다; 촉진하다, 홍보하다
3762	**substance**	명 물질, 재료
3763	**institution**	명 기관, 단체; 제도, 관례
3764	**interaction**	명 상호 작용, 상호 관계
3765	**arrest**	통 체포하다; 명 구속
3766	**aging**	명 노화, 나이 먹음
3767	**advocate**	명 지지자, 옹호자 통 지지하다, 옹호하다
3768	**swallow**	통 삼키다
3769	**unconscious**	형 의식을 잃은; 명 무의식
3770	**plain**	형 명백한, 평범한; 명 평원, 평지
3771	**legitimate**	형 정당한, 합법적인

❀ 빈출 단어

3772	**consensus**	명 합의, 의견 일치
3773	**confine**	통 국한하다, 제한하다; 가두다, 넣다
3774	**manifest**	통 나타나다, 드러내다 형 명백한, 분명한
3775	**marginal**	형 미미한, 중요하지 않은 형 한계의, 막다른
3776	**modest**	형 (크기·가격 등이) 적당한, 보통의 형 겸손한

🐭

3777	**suicide**	명 자살
3778	**ongoing**	형 계속 진행 중인
3779	**soothe**	동 진정시키다, 달래다
3780	**eruption**	명 분출, (화산의) 폭발
3781	**evacuate**	동 대피하다
3782	**prominent**	형 저명한, 유명한; 돌출된, 두드러진
3783	**plague**	명 전염병, 역병 / 동 괴롭히다, 따라다니다, 귀찮게 하다 / 떼, 무리
3784	**tranquility**	명 평온, 차분함
3785	**discourse**	명 강연, 담화, 담론 / 동 이야기하다, 강연하다
3786	**outnumber**	동 ~보다 수적으로 더 우세하다
3787	**impel**	동 (감정이) 몰고 가다, 강요하다, ~하게 만들다 / 추진하다, ~하지 않을 수 없게 만들다
3788	**exhume**	동 파내다, 발굴하다, 들추어내다 / 무덤을 파헤치다
3789	**dismay**	명 실망, 경악 / 동 실망시키다, 경악하게 하다, 당황하게 만들다

🍀 빈출 숙어

3790	**take over**	~등을 인계받다, 인수하다 / (기업 등을) 장악하다
3791	**resort to**	~에 의존하다
3792	**be passed down**	전해져 내려오다
3793	**in short supply**	공급이 부족한
3794	**on the back of**	~의 등에 올라타, 이어, ~의 덕으로

🍀 완성 어휘

3795	**archive**	명 기록 보관소
3796	**sluggish**	형 느릿느릿한, 굼뜬
3797	**mountainous**	형 산악의, 산지의
3798	**inordinate**	형 과도한, 지나친
3799	**condolence**	명 애도, 조의
3800	**specimen**	명 표본, 샘플
3801	**widow**	명 미망인, 과부
3802	**countervail**	동 대항하다
3803	**alliance**	명 동맹, 유사성, 공통점
3804	**homespun**	형 소박한, 보통의
3805	**tardily**	부 느리게, 완만하게
3806	**thrifty**	형 절약하는, 검소한
3807	**selective**	형 선택적인
3808	**engagement**	명 약속, 약혼
3809	**glossy**	형 윤이 나는
3810	**fantasize**	동 공상하다
3811	**fluidly**	부 유동적으로, 불안정하게
3812	**lengthy**	형 너무 긴, 장황한
3813	**insecure**	형 불안정한
3814	**defuse**	동 완화하다, 진정시키다
3815	**menial**	형 하찮은
3816	**transitional**	형 과도기의, 변천하는

3817	**concession**	몡 양보, 특권, 구내매점
3818	**ancestry**	몡 조상, 발단
3819	**dual**	혱 이중의
3820	**insignificant**	혱 약소한, 대수롭지 않은
3821	**foraging**	몡 수렵, 채집
3822	**obstinate**	혱 고집 센, 완강한
3823	**mutiny**	몡 반란, 폭동
3824	**shorthand**	몡 약칭; 혱 약칭으로 된
3825	**grease**	몡 기름; 통 기름을 바르다
3826	**comparatively**	뷔 비교적
3827	**pretentious**	혱 가식적인, 허세 부리는
3828	**relics**	몡 유적
3829	**bureau**	몡 (관청의) 국, 부서
3830	**revered**	혱 존경받는
3831	**at about**	대략
3832	**fall to**	~의 몫이 되다
3833	**all but**	거의
3834	**lay away**	~을 그만두다
3835	**sprout from**	~에서 자라나다
3836	**at the forefront**	~의 선두에서, 최전선에서
3837	**far and away**	훨씬, 단연코
3838	**by all means**	무슨 수를 쓰더라도
3839	**lay ~ up**	~을 모으다, 비축하다
3840	**in the interest of**	~을 위하여

DAY 49

최빈출 단어

3841	**criminal**	몡 범인, 범죄자; 혱 형사상의
3842	**suffering**	몡 고통, 괴로움
3843	**alternative**	몡 대안, 대체 수단 혱 대안의, 대체 가능한
3844	**association**	몡 협회, 연대; 연관, 연상
3845	**congress**	몡 의회; 회의
3846	**emphasize**	동 강조하다, 두드러지게 하다
3847	**presence**	몡 존재
3848	**prescribe**	동 처방하다; 규정하다, 지시하다
3849	**elevate**	동 높이다, 올리다; 승진시키다
3850	**span**	몡 시간, (지속) 기간 동 걸쳐서 이어지다

빈출 단어

3851	**extravagant**	혱 사치스러운, 낭비하는 혱 지나친, 터무니없는
3852	**counter**	동 반박하다, 논박하다 동 (무엇의 악영향에) 대응하다 몡 계산대, 판매대
3853	**manipulate**	동 다루다, 솜씨 있게 처리하다 동 조작하다
3854	**frightening**	혱 섬뜩한, 무서운

3855	**random**	혱 임의의, 무작위의
3856	**mortgage**	몡 주택 담보, 저당
3857	**fluctuate**	동 오르내리다, 변동하다
3858	**incurable**	혱 불치의
3859	**spectacular**	혱 멋진, 장관을 이루는; 극적인
3860	**soar**	동 급등하다, 치솟다
3861	**willingness**	몡 의지
3862	**depreciate**	동 (가치가) 떨어지다, 평가 절하되다 동 경시하다, 비하하다
3863	**outrage**	몡 분노, 격노; 동 분노하게 만들다
3864	**unanimous**	혱 만장일치의, 합의의
3865	**spectrum**	몡 범위, 영역; 빛의 띠
3866	**exorbitant**	혱 터무니없는, 과도한
3867	**bankrupt**	혱 파산한
3868	**pushy**	혱 지나치게 밀어붙이는, 강요하는

🍀 빈출 숙어

3869	**only to**	결국 ~하다
3870	**come up with**	~을 생각해 내다
3871	**aim at**	~을 겨냥하다, ~을 목표로 하다
3872	**go off**	(경보 등이) 울리다 발사되다, 폭발하다
3873	**be credited with**	~에 대한 공로를 인정받다
3874	**let down**	~를 실망시키다

🍀 완성 어휘

3875	**alumni**	명 졸업생들
3876	**haven**	명 피난처, 안식처
3877	**wither**	동 시들다, 약해지다
3878	**consonant**	형 일치하는; 명 자음
3879	**insistence**	명 주장, 강조
3880	**contrive**	동 고안하다, 용케 ~하다
3881	**madden**	동 매우 화나게 만들다
3882	**dosage**	명 복용량, 정량
3883	**disparate**	형 이질적인, 서로 다른
3884	**valiant**	형 용맹한, 용감한
3885	**hypocritical**	형 위선적인, 위선의
3886	**circumvent**	동 피하다, 면하다
3887	**snugly**	부 포근하게
3888	**sputter**	동 흥분하여 말하다
3889	**denunciation**	명 비난, 성토
3890	**mockery**	명 조롱, 웃음거리
3891	**primacy**	명 최고, 으뜸
3892	**varnish**	명 광택; 동 광택제를 바르다
3893	**verbose**	형 장황한, 말이 많은
3894	**adversarial**	형 적대적인
3895	**censure**	동 질책하다; 명 질책
3896	**insuperable**	형 극복할 수 없는

3897	**ranch**	명 목장
3898	**earnestly**	부 진지하게, 진정으로
3899	**interrelate**	동 밀접한 연관을 가시다
3900	**amalgamation**	명 융합, 합병
3901	**dearth**	명 부족, 결핍
3902	**fringe**	형 부수적인, 이차적인
3903	**wherein**	부 ~에서, ~이라는 점에서
3904	**aboriginal**	형 원주민의
3905	**theft**	명 절도
3906	**hortatory**	형 권고적인, 충고하는
3907	**confide**	동 (비밀을) 털어놓다
3908	**sardonic**	형 냉소적인
3909	**attire**	명 의복, 복장
3910	**run over**	(차로) 치다
3911	**in passing**	지나가는 말로
3912	**far beyond**	~을 훨씬 넘어서
3913	**not all that**	그다지
3914	**stamp on**	(무력·권위 등으로) 짓밟다
3915	**run short**	부족하다, 떨어지다
3916	**keep track of**	~의 뒤를 쫓다, 추적하다
3917	**end in**	~으로 끝나다, ~이 되다
3918	**crowd out**	몰아내다
3919	**roll one's eyes at**	곁눈질하다
3920	**jump to conclusions**	성급히 결론을 내리다

DAY 50

🍀 최빈출 단어

3921	**eliminate**	동 제거하다, 없애다
3922	**enhance**	동 향상하다, 높이다
3923	**enormous**	형 엄청난, 거대한
3924	**obesity**	명 비만, 비만율
3925	**conventional**	형 기존의, 관습적인 형 극히 평범한, 틀에 박힌
3926	**strengthen**	동 강화하다
3927	**clone**	동 복제하다; 명 복제물, 복제품
3928	**criteria**	명 기준, 표준
3929	**elsewhere**	부 다른 곳에서
3930	**outstanding**	형 뛰어난

🍀 빈출 단어

3931	**weird**	형 이상한, 기묘한
3932	**pervasive**	형 만연한, 곳곳에 스며든
3933	**resentment**	명 분노, 화
3934	**keen**	형 강한, 열정적인; 예리한
3935	**moderate**	형 보통의, 중간의; 적당한, 알맞은
3936	**disguise**	동 변장하다, 위장하다 동 (의도·사실 등을) 숨기다

3937	**talkative**	형 수다스러운
3938	**presuppose**	동 전제로 삼다, 상정하다
3939	**liver**	명 간
3940	**witty**	형 재치 있는, 익살맞은
3941	**infringe**	동 위반하다, 어기다; 침해하다
3942	**humiliate**	동 굴욕을 주다
3943	**bout**	명 한바탕, 한차례 명 병치레, 병을 한바탕 앓음
3944	**bluff**	동 속이다, 허세 부리다; 명 허세
3945	**landfill**	명 쓰레기 매립(지)
3946	**exuberant**	형 활기 넘치는
3947	**altercation**	명 언쟁, 말다툼
3948	**rehearse**	동 예행연습을 하다, 준비하다

🍀 빈출 숙어

3949	**look for**	~을 찾다, 구하다 ~을 기대하다, 바라다
3950	**in advance**	미리, 사전에
3951	**lie in**	~에 있다
3952	**break out**	발발하다, 발생하다; 탈출하다
3953	**a range of**	다양한
3954	**have to do with**	~과 관련이 있다

🌸 완성 어휘

3955	**stakeholder**	명 주주
3956	**bonanza**	명 횡재, 운수대통
3957	**consummatory**	형 완전한, 완성의
3958	**hypnotize**	동 최면을 걸다
3959	**perturbation**	명 (심리적) 동요, 혼란
3960	**dynamism**	명 활력, 패기
3961	**reciprocate**	동 서로 주고받다, 화답하다
3962	**wrongdoing**	명 범법 행위
3963	**elude**	동 피하다, 벗어나다
3964	**misfit**	명 부적응자
3965	**optimum**	형 최적의
3966	**dispersal**	명 확산, 분산
3967	**fallback**	명 대비책
3968	**envision**	동 상상하다
3969	**enliven**	동 생기를 주다
3970	**immutable**	형 불변의, 바뀌지 않는
3971	**quantify**	동 수량화하다
3972	**seamlessly**	부 매끄럽게, 이음매가 없이
3973	**tremble**	동 (몸이) 떨리다, 떨다
3974	**uncommon**	형 흔하지 않은, 드문
3975	**earthy**	형 세속적인
3976	**evasive**	형 얼버무리는

3977	**intonation**	몡 억양, 어조
3978	**rapport**	몡 관계
3979	**muse**	통 사색하다, 골똘히 생각하다
3980	**zeal**	몡 열성, 열의
3981	**ensue**	통 뒤따르다
3982	**actionable**	혱 소송할 수 있는
3983	**rectify**	통 바로잡다, 고치다
3984	**onset**	몡 시작, 개시
3985	**defunct**	혱 기능을 하지 않는
3986	**reservoir**	몡 저장소, 저수지
3987	**graying**	몡 고령화
3988	**stand on one's own feet**	자립하다
3989	**conducive to**	~에 도움이 되는
3990	**one's cup of tea**	~의 기호에 맞는 것
3991	**at the mercy of**	~에 휘둘리는
3992	**level at**	~를 겨냥하다
3993	**knock off**	(일을) 중단하다, 끝내다
3994	**fall into**	~으로 나뉘다
3995	**strip of**	~을 빼앗다
3996	**dare to**	건방지게 ~하다
3997	**in due form**	정식으로
3998	**turn away from**	~에게서 등을 돌리다
3999	**hold public office**	공직에 있다